O PROFESSOR DO DESEJO

*Grafia atualizada segundo o Acordo Ortográfico da Língua Portuguesa de 1990,
que entrou em vigor no Brasil em 2009.*

Título original
The professor of desire

Capa
João Baptista da Costa Aguiar

Preparação
Ciça Caropreso

Revisão
Carmen T. S. Costa
Renata Lopes Del Nero

Dados Internacionais de Catalogação na Publicação (CIP)
(Câmara Brasileira do Livro, SP, Brasil)

Roth, Philip
O professor do desejo / Philip Roth ; tradução Jorio Dauster. —
1ª ed. — São Paulo : Companhia das Letras, 2013.

Título original: The professor of desire.
ISBN 978-85-359-2213-4

1. Ficção norte-americana I. Título.

12-14706   CDD-813

Índice para catálogo sistemático:
1. Ficção : Literatura norte-americana   813

[2013]
Todos os direitos desta edição reservados à
EDITORA SCHWARCZ S.A.
Rua Bandeira Paulista, 702, cj. 32
04532-002 — São Paulo — SP
Telefone: (11) 3707-3500
Fax: (11) 3707-3501
www.companhiadasletras.com.br
www.blogdacompanhia.com.br

Para Claire Bloom

A tentação me vem de início na figura notável de Herbie Bratasky, diretor social, chefe de orquestra, *crooner*, cômico e mestre de cerimônias do hotel de veraneio nas montanhas de propriedade de minha família. Quando não está envergando o justíssimo calção de banho de tecido elástico com que dá aulas de rumba na beira da piscina, ele se veste nos trinques, em geral usando o blusão vermelho e creme sobre as calças amarelas que começam largas e se afinam pouco acima dos sapatos brancos de bico fino com furinhos. Tendo outra tirinha a postos no bolso, ele saboreia um chiclete Black Jack com vagarosa insolência, no que mamãe zombeteiramente chama de seu estilo "nhac-nhac". Abaixo do estiloso cinto fino de pele de crocodilo e da curva dourada feita pela corrente do chaveiro, um joelho trabalha incessantemente dentro da perna da calça, acompanhando os tantãs que só Herbie ouve e são percutidos naquele Congo que é seu cérebro. Nosso folheto de propaganda (desde a quarta série escrito por mim em colaboração com o dono do hotel) destaca Herbie como "o Cugat judeu e o Krupa judeu —

7

combinados numa só pessoa!"; mais adiante, ele é descrito como "um segundo Danny Kaye" e, para concluir, a fim de que todos compreendam que aquele rapaz de vinte anos e sessenta e cinco quilos não é um joão-ninguém e que o Hungarian Royale do sr. Kepesh não é um hotelzinho qualquer, como "um outro Tony Martin".

Nossos hóspedes parecem tão fascinados quanto eu pelo exibicionismo desavergonhado de Herbie. Tão logo se acomode numa cadeira de balanço de vime da varanda, o recém-chegado já ouvirá de algum velho freguês vindo da tórrida cidade na semana anterior tudo que precisa saber sobre o fenômeno de nossa tribo. "E espere só para ver o bronzeado do rapaz. Ele tem esse tipo de pele que nunca se queima; apenas se bronzeia. Pele como a desse garoto só existiu nos tempos bíblicos."

Por ter um tímpano perfurado, nossa principal atração — como Herbie gosta de chamar a si mesmo, sobretudo diante da desaprovação de mamãe — continua conosco durante a Segunda Guerra Mundial. Nas cadeiras de balanço e mesas de jogo, se discute se o defeito é congênito ou autoinfligido. A mera sugestão de que algo mais do que a Mãe Natureza tenha tornado Herbie incapaz de lutar contra Tojo, Mussolini e Hitler me deixa enfurecido. Fico mortificado só de pensar nisso. No entanto, é excitante imaginar Herbie pegando um alfinete de chapéu ou um palito — quem sabe um furador de gelo! — e se mutilando deliberadamente para tapear a banca de recrutamento.

"Não me surpreenderia se ele tivesse feito isso", diz o hóspede A-owitz, "nada que esse espertalhão fizesse me surpreenderia. Ele é um perigo!" "Bobagem, ele não fez nada disso. É um garoto patriótico como qualquer outro. Sei por que ele ficou assim meio surdo, e peço ao doutor aqui para dizer se não tenho razão: foi de tanto tocar bateria", diz o hóspede B-owitz. "Ah, esse menino é um prodígio na bateria", diz C-owitz, "e já podia estar tocando no Roxy — acho que só não está porque, como você falou, ele tem esse problema de audição." "Seja como for", diz D-owitz, "ele nunca deixa claro se usou ou não algum instrumento." "Mas esse é o lado artístico dele deixando a gente em suspense. Faz parte da encenação bancar o maluquinho, dar a impressão de que é capaz de tudo." "Pode ser, mas acho errado ele brincar com isso. Os judeus já são obrigados a enfrentar muitos problemas." "Ora, por favor, um garotão que se veste desse jeito e até usa uma corrente de chaveiro, trabalhando o corpo o dia todo como ele trabalha, tocando bateria como toca, você acha que ele ia se causar um dano físico sério só por ser contra o esforço de guerra?" "Aliás, Gin, concordo com você cem por cento." "Ah, você me pegou de calças curtas, seu sacana. Que diabo eu estava fazendo com todos esses valetes na mão, alguém pode me dizer? Olha, sabe o que é difícil de encontrar? O que não se encontra toda hora é um rapaz que seja tão bonito e tão engraçado quanto ele. Ser bonitão assim, ser engraçado e ainda fazer o que ele faz na bateria, isso para mim é alguma coisa especial nos anais da indústria do entretenimento." "E o que você me diz dele na piscina? No trampolim? Se o Billy Rose o visse fazendo essas palhaçadas na água, ele estaria amanhã no show dos aqualoucos." "E a voz então?" "Se não brincasse com a voz, se cantasse para valer..." "Se cantasse a sério já estaria no Metropolitan Opera." "Ah, meu Deus, se ele quisesse se dedicar a isso a sério, poderia ser um grande cantor litúrgico na sinagoga, sem o menor problema. Ia arrebentar corações. Imagina só ele envolvido num xale branco com essa pele bronzeada!" E nesse instante, finalmente dão por mim no fundo da varanda montando o modelo de um Spitfire da RAF. "Ei, Kepeshinho, vem cá e para de ficar escutando escondido. Com quem você quer ficar parecido quando crescer? Escutem isto, parem de embaralhar as cartas um momento. Quem é o seu herói, Kepeshinho?"

Não preciso pensar duas vezes, nem mesmo pensar. "Herbie", respondo, para gáudio dos homens no grupo. Só as mães parecem um pouco consternadas.

Sim, senhoras, quem mais poderia ser? Quem é tão ricamente dotado a ponto de conseguir imitar a pronúncia do Cugat, um chofar sendo soprado e, a meu pedido, um caça descendo a pique sobre Berchtesgaden — e o Führer indo à loucura ao ser atacado? O entusiasmo e o virtuosismo de Herbie são tais que papai às vezes precisa lhe dizer que guarde para si certas imitações, por melhores que sejam. "Mas", protesta Herbie, "meu peido é perfeito." "Tanto quanto eu saiba, talvez seja", responde o patrão, "mas não diante de uma plateia de homens e mulheres." "Mas venho treinando há meses. Escuta!" "Ah, Bratasky, me poupe, por favor. Isso não é exatamente o que um hóspede simpático e cansado quer ouvir num espetáculo depois do jantar. Você compreende, não é mesmo? Ou não? Às vezes eu não te entendo, não sei por onde anda a sua cabeça. Não vê que essa gente é toda certinha? Não entende que há mulheres e crianças presentes? É simples, meu amigo: o chofar é para os grandes feriados, aquela outra coisa para o banheiro. Ponto final, Herbie, e estamos conversados."

Então ele vem imitar para mim, seu maravilhado acólito, os ruídos que meu pai intransigente não o deixou fazer em público. É capaz de simular não apenas a panóplia de sons — indo do mais débil sussurro de vento primaveril a uma salva de vinte e um tiros de canhão — com que a humanidade emite seus gases, mas também uma diarreia aguda. Não apenas, como fez questão de me informar de início, um pobre coitado em cólicas — coisa que já dominara nos tempos de ginásio —, e sim os pungentes acordes wagnerianos de um *Sturm und Drang* fecal. "Eu podia entrar para o Ripley's", ele me diz. "Você lê o Ripley's, não lê? Então pode julgar se tenho ou não tenho razão!" Ouço um zíper se abrindo e em seguida um jorro dos mais invejáveis bombardeando o vaso de porcelana. Depois o ronco surdo da descarga, seguido do gargarejo e soluço de uma bica relutante de onde a água começa a correr. Tudo isso emanando da boca de Herbie. Eu poderia me prostrar a seus pés em adoração. "E escuta só *essa!*" Duas mãos se ensaboando — mas aparentemente dentro da boca de Herbie. "Durante todo o inverno eu ia para o banheiro do Automat e ficava lá sentado, escutando." "Ia mesmo?" "Claro. Escuto tudo que faço toda vez que vou ao banheiro." "Verdade?" "Mas o sabichão é o seu pai, e para ele isso não passa de porcaria! 'Ponto final!'", acrescenta Herbie, imitando papai.

E ele diz tudo isso com a maior seriedade. Acho incrível, e fico pensando como é que Herbie pode conhecer tão bem e se dedicar tanto aos barulhos de um banheiro. Por que essa gente sem imaginação nem ouvido, como papai, dá tão pouca importância a isso?

É o que sinto no verão, quando estou submetido ao feitiço desse baterista diabólico. Mas depois, quando o Yom Kippur chega e Bratasky vai embora, de que me serviu haver aprendido o que alguém como ele tem para ensinar a um menino em fase de crescimento? Nossos -witzes, -bergs e -steins se dispersam da noite para o dia rumo a regiões tão remotas para mim quanto a Babilônia — os Jardins Suspensos chamados Pelham, Queens e Hackensack —, e o território local é retomado pelos nativos que aram os campos, ordenham as vacas, tocam lojas e trabalham o ano inteiro para o Estado e o país. Sou um de dois judeus numa classe de vinte e cinco crianças, e uma compreensão das normas e preferências da sociedade (tão enraizada em mim, aparentemente, quanto uma suscetibilidade às coisas febricitantes, teatrais e estranhas) me diz que, por mais que me sinta tentado a acender meu estopim e mostrar a esses matutos alguns fogos de artifício do Herbie, só devo me distinguir dos colegas pelas notas. Sem que papai precise me lembrar disto, compreendo que agir de outra forma não me levará a lugar nenhum. E o que ninguém espera de mim é que eu vá a lugar nenhum.

Assim, tal como um menino numa ilustração de calendário, caminho quase três penosos quilômetros e meio pela estrada da montanha, em meio aos montes de neve acumulados pelo vento, rumo à escola onde passo os invernos tirando notas excelentes, enquanto bem ao sul, na maior cidade do mundo, onde vale tudo, Herbie (que vende linóleo para um tio durante o dia e toca num conjunto latino-americano nos fins de semana) se dedica a aperfeiçoar suas mais recentes impressões sobre lavatórios públicos. Ele noticia seus progressos numa carta que mantenho escondida no bolso de trás da minha calça que vai até a altura dos joelhos, e que releio sempre que tenho oportunidade; com exceção de cartões de aniversário e de algum material sobre a minha coleção de selos, essa era a única correspondência que eu havia recebido até então. Naturalmente, vivia apavorado com a possibilidade de que, se me afogasse ao patinar no gelo ou quebrasse o pescoço ao descer a colina de tobogã, o envelope enviado de BROOKLYN, NY seria achado por um de meus colegas de escola, e todos eles ficariam ali parados em volta do meu cadáver, tampando o nariz enojados. Mamãe e papai morreriam de vergonha. O Hungarian Royale perderia seu bom nome e iria à falência. Provavelmente não deixariam que eu fosse enterrado no cemitério com os outros judeus. E tudo por causa daquilo que Herbie ousava escrever numa folha de papel e enviar por uma agência postal do governo para um menininho de nove anos, que é visto por seu mundo (e consequentemente por ele próprio) como alguém puro. Será que Bratasky não consegue mesmo entender o sentimento que pessoas decentes têm com relação a essas coisas? Não sabe que pelo simples fato de enviar uma carta dessas está provavelmente cometendo um crime e me transformando em seu cúmplice? Porém, se é assim, por que persisto em carregar o documento incriminador comigo o dia todo? Ele continua no meu bolso mesmo quando estou de pé batalhando pelo primeiro lugar na competição semanal de ortografia contra a também judia de cabelos encaracolados e futura concertista de piano, a brilhante Madeline Levine; e continua no bolso do meu pijama à noite, para ser lida à luz da lanterna debaixo dos lençóis, e para que depois eu durma com ela perto do meu coração. "Venho desenvolvendo um método científico para reproduzir o som do papel quando ele é puxado do rolo. Com o quê, garoto, estou quase controlando a porra toda: Herbert L. Bratasky *e ninguém mais no mundo* sabe imitar um cara dando uma mijada, cagando, tendo uma diarreia — e desenrolando o próprio papel. Só me falta escalar uma última montanha — o som dele limpando o cu!"

Com dezoito anos, tendo acabado de entrar para a Universidade de Syracuse, exibo dotes de imitador quase iguais aos do meu mentor, mas, em vez de reproduzir o repertório de Bratasky, imito o próprio Bratasky, os hóspedes e os empregados do hotel. Arremedo nosso maître húngaro, que, todo engalanado em seu smoking, dá demonstrações de afabilidade no salão de jantar — "Por aqui, Monsieur Kornfeld, por favor... Madame, um pouquinho mais da tripa?" — para depois, de volta à cozinha, ameaçar de estrangulamento, no iídiche mais grosseiro, o chef alcoolizado. Arremedo nossos góis: o aparvalhado faz-tudo George observando timidamente a aula de rumba das mulheres na beira da piscina, e Big Bud, o musculoso salva-vidas (além de responsável pela manutenção do terreno do hotel) que, apesar de já entrado em anos, passa belas cantadas nas senhoras casadas e até mesmo em suas filhas casadouras que bronzeiam ao sol seus narizes recentemente operados. Reproduzo até um longo diálogo (tragicômico-histórico-pastoral) de meus exaustos pais se despindo para dormir na noite seguinte ao fechamento do hotel no final da estação. Às vezes me surpreende que os eventos mais banais de minha vida anterior sejam considerados tão *divertidos* pelos outros — assim como me espanta descobrir que nem todo mundo parece ter tido seus anos de formação tão densamente povoados com figuras interessantes. E nem tinha me passado pela cabeça que eu próprio fosse tão interessante.

Nos primeiros semestres na universidade, fui agraciado com papéis de destaque em peças de Giraudoux, Sófocles e Congreve. Apareci numa comédia musical, cantando e até dançando (no meu estilo). Aparentemente não há nada que eu não possa fazer no palco — aparentemente não há nada que possa me manter *fora* do palco. No começo do segundo ano da universidade, meus pais vêm me ver no papel de Tirésias — como personagem, mais velho que os dois juntos — e, mais tarde, na festa da noite de estreia, observam constrangidos quando atendo o pedido dos outros atores para imitar o nobilíssimo rabino de dicção perfeita que todos os anos vem da "distante" Poughkeepsie para conduzir os serviços dos feriados especiais no salão do hotel. Na manhã seguinte, os levo para conhecer o campus da universidade; no caminho para a biblioteca, vários alunos me cumprimentam pela representação que fiz de um ancião claudicante na noite anterior. Impressionada — mas também me lembrando, com um toque de ironia, que não fazia muito tempo as fraldas do artista eram trocadas e lavadas por ela —, mamãe diz: "Todo mundo já te conhece, você está famoso", enquanto papai, lutando contra o desapontamento, pergunta mais uma vez: "E a faculdade de medicina, está fora de cogitação?". Ao que lhe digo, pela décima vez — nada menos que pela décima vez: "Quero ser ator", acreditando piamente nisso até o dia em que, de repente, entendo que ser um ator a meu modo é a atividade mais sem sentido, mais efêmera e mais egotística que existe. Enraivecido, me censuro por haver permitido que tanta gente me conhecesse e tivesse enxergado a profundeza da tola vaidade que os limites estreitos do ninho e a rigidez dos galhos haviam impedido anteriormente que eu expusesse até a mim mesmo. Humilhadíssimo por meu comportamento ter sido posto a nu, considero ir para outra universidade, onde possa começar do zero, não conspurcado, conforme o olhar dos outros, pela atração egomaníaca que as luzes da ribalta e os aplausos exerciam sobre mim. Seguem-se meses em que adoto um novo objetivo penitencial a cada semana. Vou entrar para a faculdade de medicina e estudar para ser um cirurgião. Embora, talvez, como psiquiatra possa fazer mais bem à humanidade. Vou ser um advogado... um diplomata... por que não um rabino, um rabino contemplativo, estudioso, profundo... Leio Eu e você, de Buber, e os contos chassídicos. De volta à casa, nas férias, faço perguntas a meus pais sobre a história da família no velho país de origem. Mas, como já se passaram mais de cinquenta anos desde que meus avós emigraram para os Estados Unidos, como eles estão mortos e seus filhos em geral guardam um mínimo interesse sentimental por nossas origens europeias, após algum tempo abandono as indagações e, com elas, a fantasia rabínica. Mas não o esforço de me ancorar em coisas substanciais. Lembro com grande repugnância minha decrepitude em Oedipus Rex, meu charme travesso em Finian's Rainbow — todo aquele faz de conta enjoativo! Quanta frivolidade, quanta exibição alucinada! Com vinte anos, preciso parar de arremedar os outros e me assumir como gente, ou ao menos começar a imitar a pessoa que agora creio que deva ser.

Ele — o próximo eu — revela ser um jovem sóbrio, solitário e bastante refinado que se dedica à literatura e às línguas europeias. Meus colegas de teatro acham engraçado como abandonei o palco e me refugiei numa pensão, tendo por única companhia aqueles grandes autores que, antes de me formar, eu dizia serem os "arquitetos de minha mente". "É, o David saiu do mundo", teria dito meu rival no grupo de teatro, "para se tornar um sacerdote." Bem, de fato tenho meu jeito especial de ser e, aparentemente, o poder de dramatizar minhas escolhas, mas acima de tudo sou um absolutista — um *jovem* absolutista —, e não sei como me desembaraçar de uma velha pele sem enfiar o bisturi e dilacerá-la de ponta a ponta. Sou uma coisa ou outra. Assim, com vinte anos, propus-me a desfazer as contradições e superar as incertezas.

Nos anos restantes da universidade, vivo mais ou menos como nos invernos de minha juventude, quando o hotel ficava fechado e eu lia centenas de livros da biblioteca ao longo de centenas de tempestades de neve. O trabalho de reparação e renovação prossegue sem cessar durante os meses árticos — ouço o som de correntes de pneus mordendo a superfície das estradas das quais a neve foi retirada, ouço as tábuas sendo derrubadas do caminhão sobre a neve, ouço os sons simples e inspiradores do martelo e da serra. Mais além do peitoril forrado de neve, vejo George e Big Bud indo reformar os chalés próximos à piscina coberta. Aceno, George toca a buzina... e para mim é como se os Kepesh fossem agora três animais num estado acolhedor e inexpugnável de hibernação, Mamãe, Papai e o Filhote acomodados com toda a segurança no Paraíso da Família.

Em vez dos animados hóspedes, temos conosco agora suas cartas, lidas em voz alta por papai, sem nenhuma falta de animação ou volume, à mesa de jantar. Ele acredita que sua especialidade é *saber se vender*, assim como *fazer as pessoas se divertirem* e, por mais grosseiras que elas sejam, *tratá-las como seres humanos*. Fora da estação de turismo, contudo, a balança do poder se desloca um pouco, e é a clientela, saudosa do repolho recheado, dos raios de sol e das risadas, que abre mão de suas atitudes imperiosas e exigentes. "Assim que eles assinam o registro", diz mamãe, "qualquer *ballagula* e sua *shtunk* de mulher se acham de repente o duque e a duquesa de Windsor", e começam a tratar meu pai como se ele fosse um mero empregadinho e não o responsável por seus protestos, como um simples coadjuvante em suas ridículas demonstrações de arrogância. Quando a neve é mais espessa, às vezes chegam quatro ou cinco cartas com notícias todas as semanas — um noivado em Jackson Heights, uma mudança para Miami por razões de saúde, a inauguração de outra loja em White Plains... Ah, como papai adora saber o que de melhor ou de pior está acontecendo com sua clientela! Para ele, aquilo é uma prova do que o Hungarian Royale representa para as pessoas — na verdade, aquilo comprova tudo, e não apenas o significado de seu hotel.

Depois de ler as cartas, ele abre um espaço na cabeceira da mesa e, junto a um prato cheio do *rugalech* de mamãe, redige as respostas com sua caligrafia esparramada. Corrijo a grafia das palavras e introduzo a pontuação onde ele apenas pôs travessões a fim de separar seu parágrafo único em blocos irregulares de tiradas filosóficas, reminiscências, profecias, ditos sagazes, análises políticas, condolências e congratulações. Mamãe, depois, bate cada carta à máquina usando o papel do Hungarian Royale encimado pelos dizeres: *"Hospitalidade de Padrão Europeu num Belo Cenário de Montanha. Leis Dietéticas Rigorosamente Observadas. Proprietários: Abe e Belle Kepesh"* — acrescentando um P. S. em que confirma as reservas para o verão seguinte e solicita um pequeno depósito.

Antes de conhecer papai durante férias passadas naquelas mesmas colinas — ele tinha então vinte e um anos e, sem profissão definida, trabalhava no verão como cozinheiro à minuta —, mamãe foi secretária de uma firma de advocacia por três anos após concluir o ginásio. Jovem meticulosa e aplicada, de uma

17

competência incrível, dedicava-se de corpo e alma a servir os aristocráticos advogados de Wall Street que a empregavam, homens cuja estatura — moral e física — constituiria objeto de reverência para ela até o dia de sua morte. O sr. Clark, neto do fundador da firma, continua a lhe mandar telegramas de parabéns pelo aniversário mesmo depois de se aposentar e ir morar no Arizona. E todo ano, segurando o telegrama, ela diz com ar sonhador para meu pai, cada vez mais calvo, e para mim, ali pequenininho ao lado dos dois: "Ah, ele era um homem tão alto e bonito! E tão refinado! Ainda me lembro como se levantou atrás da escrivaninha quando entrei no seu escritório para ser entrevistada. Acho que nunca vou esquecer a atitude dele". Mas, assim quis a sorte, foi um homem corpulento e cabeludo, com peitoris proeminentes, bíceps de Popeye e nenhuma credencial social que a viu encostada num piano cantando "Amapola" junto com um grupo de veranistas vindos da cidade, e que se disse de imediato: "Vou casar com essa garota". Os cabelos e os olhos dela eram tão escuros, suas pernas e seios tão redondos e "bem desenvolvidos", que de início ele pensou se tratar de uma espanhola. E a paixão habitual pela impecabilidade, que a fizera ser tão apreciada pelo sr. Clark quando moço, a tornou ainda mais atraente para o jovem e dinâmico empreendedor que tinha algo de capataz de escravos em sua alma ao mesmo tempo compulsiva e servil.

Infelizmente, depois de casada, aquelas virtudes que a haviam transformado num tesouro para o austero empregador gói levam-na à beira de um esgotamento nervoso ao fim de cada verão — pois mesmo num pequeno hotel dirigido por uma só família, como o nosso, há sempre uma reclamação a ser investigada, um empregado a ser observado, roupa de cama a ser contada, comida a ser provada, contas a serem feitas... e assim por diante, já que a pobre coitada nunca consegue deixar as tarefas a cargo de quem deveria executá-las, caso descubra que alguma coisa não está sendo Bem-Feita. Só no inverno, quando papai e eu assumimos os papéis improváveis de *père* e *fils* ao estilo do sr. Clark e ela encarna a postura perfeita de uma datilógrafa diante da grande e negra Remington Noiseless, registrando com precisão as prolixas respostas de papai, é que entrevejo a decorosa, feliz e delicada *señorita* pela qual ele se apaixonara à primeira vista.

Às vezes, depois do jantar, ela até me convida — eu, um estudante do primário — a fingir que sou um executivo ditando uma carta, para que possa me mostrar a mágica da taquigrafia. "Você é o dono de uma empresa de transportes", ela me diz, embora na verdade só há pouco eu tenha sido autorizado a comprar meu primeiro canivete, "Vá em frente". Ela me recorda com frequência a distinção entre uma assistente comum de escritório e o que ela foi, uma secretária especializada em assuntos legais. Papai confirma, orgulhoso, que ela de fato se destacou como a mais impecável secretária especializada daquela firma de advocacia — o próprio sr. Clark lhe havia escrito dizendo isso numa carta de congratulações quando os dois ficaram noivos. Então, em um inverno, ela entende que cheguei à idade adequada e me ensina a escrever à máquina. Ninguém, nem antes disso nem depois, me ensinou algo com tamanha inocência e convicção.

Mas isso são coisas do inverno, a estação secreta. No verão, acuada, seus olhos negros dardejam para lá e para cá, ela solta latidos e ganidos como um cão pastor cuja sobrevivência depende de conduzir o indisciplinado rebanho do dono até o mercado. Uma única ovelha que se desgarre por alguns metros a obriga a descer correndo a íngreme colina, até que um méé vindo de outro lugar a faça correr na direção contrária. E isso só termina depois dos feriados especiais, embora nem assim pare de todo. Porque, tendo partido o último hóspede, cumpre iniciar o inventário — já, já! O que foi quebrado, rasgado, manchado, lascado, espatifado, torcido, rachado e roubado, o que precisa ser consertado, substituído, repintado, jogado fora — "perda total". A essa mulherzinha simples e organizada, para quem não há nada mais lindo no mundo que uma folha de papel carbono perfeita e intocada, cabe a tarefa de ir de quarto em quarto a fim de registrar num livro de contabilidade a magnitude da violência descarregada em nosso baluarte montanhês pelas hordas de bárbaros que papai persiste em afirmar — apesar dos veementes protestos dela — serem compostas tão somente de outros seres humanos.

Assim como os ferozes invernos nas Catskill fazem cada um de nós voltar a ser um Kepesh mais doce e mentalmente mais saudável, mais inocente e sentimental, no meu quarto da Syracuse a solidão toma conta de mim e aos poucos sinto, feliz, que a frivolidade e o exibicionismo estão indo embora. Não que, por mais que eu leia, sublinhe e anote, tenha me tornado *inteiramente* altruísta. Uma máxima atribuída ao incomparável egotista Lord Byron me impressiona por sua serena sabedoria, resolvendo, com apenas seis palavras, o que começava a me parecer um dilema de dimensões morais intransponíveis. Com certa ousadia estratégica, passo a citá-la às colegas que resistem a meu assédio dizendo que sou sério demais para aquelas coisas. "Estudioso de dia", eu informo a elas, "dissoluto à noite." Bem cedo descubro que é melhor substituir "dissoluto" por "ardente" — afinal de contas, não estou num *palazzo* em Veneza, e sim no campus de uma universidade ao norte do estado de Nova York, não podendo perturbar as garotas mais do que aparentemente já faço com meu "vocabulário" e minha crescente fama de "ermitão". Lendo Macaulay no curso de literatura inglesa, topei com a descrição de Steele, colaborador de Addison, e gritei "Heureca!", pois lá estava *mais uma* prestigiosa justificação para minhas notas altas e baixas compulsões. "Um libertino entre os doutos, um douto entre os libertinos." Perfeito! Afixei isso no meu quadro de avisos, juntamente com a frase de Byron e logo abaixo dos nomes das garotas que eu havia decidido *seduzir*, palavra cujas ressonâncias mais profundas não me vinham das revistas de fofocas ou dos livros de pornografia, e sim de minha leitura angustiada de *"Ou isso, ou aquilo"*, de Kierkegaard.

Só tenho um amigo homem que vejo com regularidade, um estudante de filosofia feio, nervoso e desajeitado chamado Louis Jelinek, que de fato é meu mentor em matéria de Kierkegaard. Tal como eu, Louis aluga um quarto numa casa particular na cidade em vez de viver no dormitório da universidade com rapazes cujos rituais de camaradagem ele também considera indignos. Para não depender dos pais, que moram em Scarsdale e ele despreza, se sustenta durante os anos de universidade trabalhando num ponto de venda de hambúrgueres, motivo pelo qual carrega o perfume deles aonde quer que vá. Quando o toco, por acidente ou animado pelo espírito de companheirismo, Louis dá um pulo como se receasse que suas roupas fedorentas pudessem ser infectadas. "Tira a mão", ele grunhe. "Que que há, Kepesh, ainda está querendo ser eleito para algum cargo de merda?" Eu? Nunca pensei nisso. Que cargo?

Estranhamente, tudo que Louis diz sobre mim, mesmo quando está ressentido ou faz alguma crítica, parece importante para o solene processo que chamo de "busca da autocompreensão". Como, tanto quanto eu possa ver, ele não está interessado em agradar ninguém — família, professores, senhoria, lojistas e certamente, sem a menor dúvida, todos aqueles "bárbaros burgueses", nossos colegas de universidade —, o imagino mais profundamente ligado à "realidade" do que eu. Sou um desses sujeitos altos de cabelos ondulados e com uma covinha no queixo que desenvolveu certas estratégias vitoriosas no ginásio e agora não consegue abandoná-las por mais que tente. Sobretudo na companhia de Louis, me sinto lamentavelmente banal: tão arru-

limpo, tão *encantador* quando necessário e, malgrado ...neros protestos, ainda não despreocupado o bastante no que tange à minha aparência e reputação. Por que não posso ser mais parecido com Jelinek, cheirando a cebolas fritas e olhando o mundo inteiro de cima? Vale a pena ver a lixeira em que ele vive! Crostas de pão, miolos de frutas, cascas e embalagens — a maior porcaria! Lenços de papel usados de um lado e do outro da cama toda revirada, lenços de papel *grudados* no chinelo esfarrapado de feltro. Segundos após o orgasmo, mesmo na privacidade do meu quarto, automaticamente jogo a prova do vício solitário numa cesta de papéis, enquanto Jelinek — excêntrico, superior, descompromissado e inatacável — não parece dar a mínima para o que o mundo possa saber ou pensar acerca de suas copiosas ejaculações.

Fiquei pasmo, não consegui absorver, durante muitas semanas não pude crer quando um estudante de filosofia disse certo dia *en passant* que "obviamente" meu amigo era um homossexual "praticante". Meu amigo? Não pode ser. Claro que conheço "bichinhas": todos os verões temos alguns famosos no hotel, pequenos paxás judeus de férias que Herbie me aponta. Fascinado, costumava observá-los sendo levados do sol para a sombra enquanto continuavam a tomar bebidas achocolatadas com dois canudinhos, suas testas e bochechas limpadas e secadas pelos lenços de lacaios chamados Vovó, Mamãe e Titia. E também uns poucos infelizes na escola, meninos que pareciam ter os braços aparafusados como os das meninas, incapazes de atirar corretamente uma bola com a mão por mais horas de paciente instrução particular que tivessem. Mas um homossexual praticante? Nunca, nunca em todos os meus dezenove anos. Exceto, é fato, daquela vez logo depois do meu *bar mitzvah* em que tomei um ônibus sozinho para ir a uma feira de colecionadores de selos em Albany, e no terminal da Greyhound fui assediado no mictório por um homem de meia-idade de terno, que sussurrou por cima de meu ombro: "Ei, garoto, quer que eu chupe seu pau?". "Não, não, muito obrigado", respondi, e tão rápido quanto pude (sem ser ofensivo, assim espero) bati em retirada do mictório e do terminal rumo a uma loja de departamentos próxima, onde me recuperei em meio à multidão de fregueses heterossexuais. Desde então, no entanto, nenhum homossexual jamais voltou a falar comigo, ao menos nenhum que eu saiba.

Até Louis.

Ah, meu Deus, será que isso explica por que ele diz para eu me afastar quando as mangas de nossas camisas apenas se roçam? Porque ser tocado por outro rapaz tem as mais sérias implicações? Mas, se é assim, será que uma pessoa tão direta e informal quanto Jelinek não diria isso logo de cara? Ou será que, enquanto escondo envergonhado de Louis que sou no fundo totalmente comum e respeitável, um sujeito quadrado querendo se passar por sofisticado, o segredo dele para comigo é o fato de ser veado? Como para provar quão comum e respeitável realmente sou, nunca lhe pergunto. Em vez disso, espero, temeroso, o dia em que Jelinek diga ou faça algo que revele a verdade sobre ele. Aqueles montinhos de lenços de papel espalhados pelo quarto como pequenos ramalhetes de flores... será que não estão ali para divulgar, para *convidar*? Será tão improvável que certa noite, em breve, aquela criatura cerebral de nariz adunco, que por razões de princípio se recusa a usar desodorante nos sovacos e já está ficando careca, pulará de trás da escrivaninha onde disserta sobre Dostoiévski e, no seu estilo desajeitado, tentará me prender num abraço? Será que vai dizer que me ama e enfiar a língua na minha boca? E o que direi em resposta? Exatamente o que as garotas inocentes e tentadoras me dizem? "Não, por favor, não! Ah, Louis, você é muito inteligente para querer isso! Por que não podemos só falar de livros?"

Porém, precisamente porque a ideia me assusta tanto — porque temo ser o "matuto", o "caipira" que ele se compraz em dizer que sou quando discordamos sobre o significado profundo de alguma obra-prima —, continuo a visitá-lo em seu fétido quarto e sento diante dele, separados pelo lixo, conversando em voz alta sobre as ideias mais loucas e inquietantes enquanto rezo para que ele não faça nenhuma investida.

Antes que possa tentar algo, Louis é expulso da universidade, primeiro por não comparecer a uma única aula durante todo o semestre e, em segundo lugar, por não se dignar ao menos a acusar o recebimento dos bilhetes de seu orientador lhe pedindo que fosse discutir o problema. Rebate Louis com indignação, ironia e repugnância: "*Qual* problema?", erguendo e agitando a cabeça como se o "problema", segundo ele, pudesse estar flutuando acima de nós. Conquanto todos reconheçam que Louis tem uma mente excepcional, negam-lhe a inscrição para o segundo semestre do terceiro ano da universidade. Da noite para o dia ele desaparece de Syracuse (obviamente sem se despedir) e logo depois é recrutado pelo Exército. Fico sabendo disso quando um agente do FBI, de olhar indesviável, me procura para fazer perguntas depois que Louis deserta do treinamento básico e (tal como vejo a coisa) escapa da Guerra na Coreia se escondendo num cortiço com seu Kierkegaard e seu Kleenex.

O agente McCormack pergunta: "E os relacionamentos homossexuais dele, Dave?". Corando, respondo: "Não sei nada disso". McCormack retruca: "Mas eles me dizem que você era o melhor amigo dele". "Eles? Não sei a quem o senhor está se referindo." "Os garotos do campus." "Esse é um rumor maldoso, uma mentira total." "Que você era amigo dele?" "Não, senhor", respondo, o calor subindo outra vez ao meu rosto. "Que ele tinha 'relacionamentos homossexuais'. Dizem essas coisas porque era complicado se dar com ele. Era uma pessoa estranha, sobretudo neste ambiente daqui." "Mas você se dava com ele, não dava?" "Dava. E por que não?" "Ninguém disse que não devia. Olha, me dizem que você é um verdadeiro casanova." "Ah, é?" "É. Dizem que você dá mesmo em cima das garotas. Verdade?" "Acho que sim", respondi, desviando-me de seu olhar e da insinuação que sinto em suas palavras de que as garotas só servem como cortina de fumaça. "Mas o Louis não fazia isso", diz o agente de forma ambígua. "Não fazia o quê?" "Dave, me diga uma coisa. Seja franco comigo. Onde você acha que ele está?" "Não sei." "Mas me diria se soubesse, tenho certeza." "Sim, senhor." "Muito bem, aqui está meu cartão, caso você descubra." "Sim, senhor, muito obrigado." E, depois que ele se vai, fico horrorizado com a forma pela qual me comportei: meu pavor de ser preso, meus modos à la lorde Fauntleroy, meus instintos colaboracionistas — e minha vergonha com relação a quase tudo aquilo.

As garotas que dou em cima.

Em geral, eu as encontro na sala de leitura da biblioteca, local comparável ao palco de um teatro de variedades para estimular e concentrar meu desejo. Tudo que é imperfeitamente suprimido nessas moças americanas de classe média, vestidas com correção e bem-educadas, torna-se aparente de imediato (ou, com maior frequência, imaginado de imediato) naquela atmosfera impregnada de decoro acadêmico. Observo mesmerizado a garota que brinca com as pontas do cabelo enquanto ostensivamente estuda num livro de história — e eu ostensivamente estudo no meu. Outra garota, de todo insípida na sala de aula um dia antes, começa a sacudir a perna sob a mesa da biblioteca enquanto folheia a revista *Look*, e minha ânsia não tem limites. Uma terceira se curva sobre o caderno e, com um gemido surdo, como se estivesse sendo empalado, observo os seios sob sua blusa esbarrarem docemente nos braços cruzados. Como eu queria ser aqueles braços! Sim, uma coisinha de nada basta para me colocar no encalço de uma pessoa que nunca vi antes — por exemplo, o conhecimento de que, enquanto toma notas da enciclopédia com a mão direita, o indicador da esquerda não consegue deixar de traçar círculos em seus lábios.

Recuso-me — devido a uma incapacidade que elevo à condição de princípio — a resistir a qualquer coisa que considero irresistível, mesmo quando a fonte da atração seja vista por outrem como insignificante e acidental, ou infantil e perversa. Naturalmente, isso me leva a dar em cima de garotas que de outro modo eu acharia banais, bobas ou sem graça, mas estou convencido de que a falta de graça não constitui a história toda e, como o que sinto é desejo genuíno, não há por que minimizá-lo ou desprezá-lo.

"Por favor", elas pedem, "por que você não me fala alguma coisa, não é gentil comigo? Você sabe ser bem gentil quando quer." "Sei, é o que me dizem." "Mas você não entende, isto aqui é só o meu corpo. Não quero me relacionar com você nesse nível." "Você está sem sorte. Não há nada a fazer quanto a isso. Seu corpo é sensacional." "Ah, não começa com esse negócio de novo." "Sua bunda é sensacional." "Por favor, não seja grosseiro. Você não fala assim na aula. Adoro te ouvir falar, mas não quando me insulta desse jeito." "Insulto? É o maior elogio. Sua bunda é maravilhosa. É perfeita. Você devia se orgulhar de ser dona dela." "Só serve para eu sentar em cima dela, David." "Conversa fiada. Pergunte a uma garota que não tem uma com o formato da sua, se ela não quer trocar. Aí você vai ver se eu não estou certo." "Por favor, pare de caçoar de mim e de ser sarcástico. *Por favor*." "Não estou caçoando de você. Ninguém te levou mais a sério do que eu em toda a sua vida. Sua bunda é uma obra-prima."

Não admira que, no quarto ano, eu já tivesse adquirido a reputação de ser "terrível" entre as alunas cujas irmãs tentei seduzir com meu estilo de ingenuidade agressiva. A julgar pela reputação, seria de crer que eu tivesse conduzido uma centena de jovens ao meretrício, quando na realidade, em quatro anos, só consegui alcançar a penetração total em duas ocasiões e alguma coisa vagamente similar à penetração em outras duas. Na maior parte das vezes, onde deveria haver um arrebatamento físico, há um discurso lógico (e ilógico): se necessário, eu argumento que nunca pretendi enganar ninguém acerca do meu desejo ou do quanto minha interlocutora me é desejável e, longe de ser um "explorador", sou apenas uma das pessoas mais honestas que ela já conheceu. Num acesso de sinceridade calculada — sinceridade mal calculada, como verifiquei —, digo a uma das garotas como a visão de seus seios se apertando contra os braços me fez querer ser aqueles braços. Aprofundando a cantada, pergunto se isso seria tão diferente de Romeu sussurrar embaixo da varanda de Julieta: "Vede como ela apoia o rosto na mão./ Ah, quisera ser uma luva naquela mão/ Para assim tocar em seu rosto". Aparentemente, é bem diferente. Durante meu último ano na universidade, há vezes em que a ligação telefônica é cortada quando anuncio quem está falando, e as poucas garotas simpáticas que ainda correm o risco de sair sozinhas comigo são consideradas (segundo elas próprias me confessam) quase suicidas.

Eu também continuo a merecer o desdém galhofeiro dos meus nobres amigos do grupo teatral. Os mais chegados à sátira dizem agora que abandonei o sacerdócio pelas animadoras de torcida, muito distante das angústias sexuais de Strindberg e O'Neill. Bom, é o que eles pensam.

Na verdade, há uma única animadora de torcida em minha vida capaz de provocar em mim as agonias mais puras da frustração suprema e tornar ridículos meus sonhos dissolutos, uma tal de Marcella "Sedosa" Walsh, de Plattsburgh, Nova York. O desejo fadado ao insucesso começa uma noite em que compareço a um jogo de basquete para vê-la em ação, depois de encontrá-la naquela tarde numa fila do restaurante da universidade, ocasião em que pude ver de perto aquela almofada opulenta, aquele bombom irresistível que é seu lábio inferior. Existe uma coreografia em que cada garota apoia o punho fechado no quadril e, com a outra mão, soca ritmadamente o ar enquanto vai dobrando o corpo para trás. As outras sete garotas, que vestem volumosos suéteres brancos e saias brancas curtas e pregueadas, se lançam à sequência de movimentos como uma dinâmica exibição de ginástica, executada com uma energia tão incansável que beira a hilaridade. Somente na barriguinha de Marcella Walsh, que se torna aos poucos mais e mais visível, há a sugestão incendiária (inescapável para mim) de um oferecimento, de um convite, de uma lascívia tão ávida quanto inconsciente que (a meus olhos) claramente implora para ser satisfeita. Sim, só ela parece sentir (para mim, para mim) que a veemência domesticada e controlada do insípido grito de estímulo aos atletas não passa de um tênue disfarce do urro primitivo que será emitido quando um pênis levar ao êxtase a pelve que continua a se elevar. Ah, meu Deus, como é possível que minha ânsia por aqueles quadris empurrados tão provocativamente em direção às bocas da multidão ululante, minha ânsia por aqueles punhos duros e pequenos que me falam do prazer de todas as lutas, minha ânsia por aquelas pernas longas e fortes de rapazola que tremem ligeiramente quando o arco se tensiona e a cabeleira sedosa (origem de seu apelido) se despeja rumo ao chão do ginásio — como é possível que o desejo pelas mínimas pulsações de seu corpo seja "sem sentido" ou "trivial", "indigno" de mim *ou* dela, enquanto faz sentido torcer apaixonadamente para que Syracuse ganhe o campeonato universitário de basquete?

Essa é a linha de raciocínio que persigo com a própria Sedosa, e com que, passado algum tempo (ah, o tempo! as horas de debate que poderiam ser usadas nos animando mutuamente na busca de orgasmos oceânicos!), espero abrir caminho para aqueles lancinantes prazeres eróticos que ainda desconheço. Em vez disso, preciso pôr de lado a lógica, a razão, a candura, sim, e também a erudição literária, pôr de lado toda e qualquer tentativa razoável de persuasão — e por fim até mesmo toda a dignidade — para me tornar tão lastimável e merecedor de pena quanto uma criança abandonada e esfomeada: só então Sedosa, que provavelmente nunca viu ninguém tão miserável em toda a vida, me permite cobrir de beijos seu ventre nu. Como ela é de fato uma garota muito doce e correta, insuficientemente cruel ou fria para reduzir às súplicas mais abjetas mesmo um romeu de mente suja, um barba-azul que também é o primeiro aluno da turma, um Don Giovanni e um Johannes, o Sedutor, em floração, sou autorizado a beijar a barriguinha da qual falei de forma tão "obsessiva". Porém não mais. "Nem mais para cima nem mais para baixo", ela sussurra, dobrada para trás sobre a pia na lavanderia às escuras do porão de seu dormitório. "David, para baixo, não, já disse. Como é que você pode *querer* fazer uma coisa dessas?"

Assim, meu mundo interpõe seus argumentos e obstáculos entre as ânsias e os incontáveis objetos do desejo. Papai não me entende, a Sedosa Walsh não me entende, as garotas da universidade e os boêmios não me entendem — nem Louis Jelinek nunca me entendeu, embora, conquanto pareça improvável, aquele suposto homossexual (procurado pela polícia) foi o meu amigo mais próximo. Não, ninguém me entende, nem eu mesmo.

Tendo recebido uma bolsa de um ano para estudar literatura como pós-graduado, chego a Londres depois de viajar seis dias de navio, tomar um trem em Southampton e fazer um longo percurso de metrô até um bairro chamado Tooting Bec. Lá, numa rua interminável de casas em um falso estilo Tudor (e não em Bloomsbury, como havia solicitado), o King's College me arranjou acomodações numa casa particular. Após ser levado pelo capitão do Exército aposentado e sua mulher ao meu pequeno e austero quarto no sótão da casinha arrumada e abafada — onde, como sou informado, terei direito a jantar —, examino a armação de ferro da cama em que devo dormir nas próximas trezentas noites ou coisa parecida, e num instante se evapora o entusiasmo com que atravessei o Atlântico, a pura alegria com que havia escapado de todos os rituais opressivos da vida de estudante ainda não graduado, assim como da enfadonha preocupação de uma mãe e de um pai de quem já não preciso para me alimentar. Mas Tooting Bec? Aquele quarto mínimo? Minhas refeições frente a frente com o bigode fininho do capitão? E para quê? Estudar as lendas arturianas e as sagas islandesas? Por que tamanha punição apenas por ser inteligente?

Minha miséria é cruel e colossal. Trago na carteira o número do telefone de um professor de paleografia do King's College dado por um amigo dele, meu ex-professor na Syracuse. Mas como telefonar para esse augusto mestre e lhe dizer que, havendo chegado faz uma hora, quero devolver a bolsa da Fulbright e voltar para casa? "Escolheram o candidato errado, não sou suficientemente sério para sofrer dessa maneira!" Com a ajuda da gentil e corpulenta mulher do capitão (convencida pela cor da minha pele de que sou armênio, ela fica murmurando algo sobre a necessidade de novos tapetes para a sala de visitas), encontro o aparelho no hall de entrada e disco o número. Faço força para não chorar (faço força para não fazer uma ligação a cobrar para um hotel nas Catskills), mas, embora assustado e infeliz, verifico que estou ainda mais assustado de confessar que estou assustado e infeliz, pois desligo quando o professor atende.

Quatro ou cinco horas depois — tendo o sol se posto na Europa Ocidental e eu mais ou menos digerido minha primeira refeição inglesa de espaguete em lata com torrada —, vou a um lugar de Londres de que me haviam falado durante a travessia. Chama-se Shepherd Market e me proporciona uma experiência que altera de modo considerável minha atitude com relação a ser um bolsista da Fulbright. Sim, antes mesmo de assistir às primeiras aulas sobre os épicos e as narrativas românticas, começo a entender que o fato de um rapaz desconhecido viajar para uma terra desconhecida talvez, pensando bem, não tenha sido um erro. Obviamente, me apavora morrer como Maupassant. No entanto, minutos depois de dar uma tímida olhada na famosa pracinha, estou com uma prostituta — a primeira de toda a minha vida, e mais: a primeira das minhas três parceiras de sexo até hoje que nasceu fora do território continental dos Estados Unidos (para ser preciso, fora do estado de Nova York) e no ano anterior ao do meu nascimento. Na verdade, quando ela monta em cima de mim e, de repente, deixa que a gravidade tome conta da situação, percebo, com uma excitação em que se mistura a estranheza e a repugnância, que essa mulher, cujos seios colidem como caldeirões acima de minha cabeça (e que eu escolhera, entre suas competidoras, com base naqueles peitos gigantescos e num traseiro não menos volumoso), provavelmente nasceu antes da eclosão da Primeira Guerra Mundial. Imagino que antes da publicação de *Ulysses*, antes... mas, mesmo enquanto procuro situá-la no século, vejo que, mais rápido do que eu havia planejado — como se, na realidade, um de nós estivesse correndo para pegar um trem —, sou incentivado a alcançar meu *grand finale* com a assistência não solicitada de uma mão segura, rápida e nada sentimental.

Descubro o Soho por conta própria na noite seguinte. Descubro também na *Columbia Encyclopedia*, trazida a duras penas na viagem transatlântica juntamente com a *Literary History of England* de Baugh e três exemplares de bolso de obras de Trevelyan, que os estágios finais da doença venérea de Maupassant acabaram com ele aos quarenta e três anos de idade. Apesar disso, não consigo imaginar em que outro lugar eu gostaria de estar, após ter jantado com o capitão e sua cara-metade, senão num quarto com uma puta que fará o que eu quiser — não, não depois de sonhar em pagar por esse privilégio desde os meus doze anos, quando eu recebia uma mesada de um dólar por semana para fazer o que eu quisesse. Claro que se eu escolher prostitutas com menos cara de prostituta, minhas chances de morrer de doença venérea e não de velhice podem diminuir de forma considerável. Mas qual é a graça de contratar uma puta sem cara de puta, que não fala nem se comporta como uma puta? Afinal, não estou em busca de uma namorada, pelo menos ainda não. E, quando eu estiver preparado para isso, não será ao Soho que irei, e sim a um restaurante perto da Harrods, chamado Midnight Sun, para comer arenque.

Naquela época, a mitologia da garota sueca e de sua liberdade sexual estava no auge e, malgrado o ceticismo natural que me inspiravam as histórias ouvidas na universidade sobre apetites insaciáveis e propensões estranhas, cabulo alegremente a aula de estudos sobre a antiguidade nórdica a fim de descobrir quanto há de verdade em toda essa instigante especulação estudantil. Vou, assim, ao Midnight Sun, onde dizem que as garçonetes são jovens deusas escandinavas loucas por sexo, que servem os pratos de seus países vestindo coloridas vestimentas folclóricas, tamancos de madeira pintados que realçam suas pernas douradas e corpetes de estilo camponês que, trançados na frente, acentuam a protuberância encantadora de seus seios.

É lá que conheço Elisabeth Elverskog — e que a pobre Elisabeth me conhece. Elisabeth suspendeu a matrícula por um ano na universidade de Lund a fim de aprimorar seu inglês, e está morando com outra sueca, filha de amigos de sua família, que há dois anos se licenciou da universidade de Uppsala para também aprimorar *seu* inglês e ainda não se decidiu a voltar. Birgitta, que entrou na Inglaterra como estudante e supostamente está cursando a Universidade de Londres, trabalha no Green Park coletando um pêni como pagamento pelo aluguel das cadeiras de lona e, sem que a família de Elisabeth saiba disto, coletando também qualquer aventura que lhe apareça pela frente. O apartamento de porão que Elisabeth divide com Birgitta fica numa pensão da Earl's Court Road habitada sobretudo por estudantes com peles bem mais escuras que as das duas moças. Elisabeth me confessa que não gosta muito do lugar — os indianos, contra os quais não tem nenhum preconceito, a incomodam por cozinhar pratos com curry em seus quartos a qualquer hora da noite, e os africanos, contra os quais também não tem nenhum preconceito, às vezes esticam o braço e tocam em seu cabelo ao cruzarem com ela nos corredores; e, embora entenda por que fazem isso, percebendo que eles não têm más intenções, ela treme cada vez que isso acontece. Entretanto, dado seu temperamento afável e condescendente, Elisabeth resolveu aceitar as pequenas afrontas dos corredores — e a sordidez geral da vizinhança — como parte da aventura de viver no exterior até junho, quando volta para passar o verão com a família na casa de veraneio que possuem no arquipélago de Estocolmo.

Descrevo para Elisabeth minhas acomodações monásticas e faço uma imitação, que a diverte muitíssimo, do capitão e sua mulher me dizendo que não permitem a coabitação naquelas dependências, nem mesmo entre eles. E, quando imito seu próprio inglês cantado, ri ainda mais.

Durante as primeiras semanas, a morena, baixinha e atraentemente (para mim, pelo menos) dentuça Birgitta finge estar dormindo quando Elisabeth e eu chegamos ao quarto delas de porão e fingimos não estar fazendo amor. Não creio que a excitação que senti ao abandonarmos o fingimento seja maior do que era quando todos nós prendíamos a respiração e fazíamos de conta que nada de extraordinário estava acontecendo. Estou tão inebriado de prazer com a mudança ocorrida em minha vida desde que me ocorreu almoçar no Midnight Sun — na verdade, desde que dominei meus medos e pisei no Shepherd Market para procurar a mais puta das putas —, estou mergulhado num frenesi tão egoístico por causa dessa coisa improvável que vem acontecendo comigo, de possuir não apenas uma garota sueca, mas duas (ou, se você prefere, garotas *europeias*), que não vejo como Elisabeth está aos poucos entrando em parafuso devido ao esforço de ser uma pecadora totalmente dedicada a nosso *ménage* intercontinental, cuja metade, apenas, posso chamar de meu harém.

Talvez eu não veja isso porque ela própria esteja vivendo um frenesi — um frenesi de afogamento, um bater de braços tão desesperado para se manter à tona que muitas vezes a faz parecer estar se *divertindo* tremendamente; na verdade, a considero genuinamente excitada quando, por exemplo, nós três passamos o domingo em Hampstead Heath fazendo um piquenique e brincando com uma bola de tênis. Ensino às garotas como se tomam as bases no beisebol (e não existe nada que delicie mais Elisabeth do que ser cercada e alcançada por mim e Birgitta ao correr de uma base para a outra), enquanto elas me ensinam *brännboll*, que aprenderam na escola de Estocolmo. Quando chove, jogamos cartas, *gin rummy* ou canastra. Segundo Birgitta, o velho rei Gustav v era apaixonado por *gin rummy*, como são sua mãe, seu pai, seu irmão e sua irmã. Elisabeth, cujo círculo de amigos no ginásio aparentemente havia passado centenas de tardes jogando canastra, aprende o *gin rummy* após observar durante meia hora algumas partidas minhas com Birgitta. Ela adora as coisas que eu digo durante o jogo e adota imediatamente as mesmas expressões — assim como eu fiz quando tinha uns oito anos e aprendi tudo ouvindo Klotzer, o Rei da Soda (na opinião de mamãe o hóspede mais pesado da história do Hungarian Royale: quando o sr. Klotzer baixava o traseiro numa de nossas cadeiras de vime, ela às vezes cobria os olhos), que falava sem parar e sofria muito na mesa de jogo. Arrumando e rearrumando as cartas dadas por Birgitta, Elisabeth diz: "Minha mão está de chorar lágrimas de sangue" e, quando mostra suas cartas em triunfo, exibe um imenso prazer, que eu também compartilho, ao perguntar a seu oponente: "E aí, beleza, qual é mesmo o nome desse jogo?". Ah, e morro de rir quando ela chama o coringa na canastra de "iôker"! Sendo assim, como pode estar entrando em parafuso? *Eu* não estou! E que tal nossas discussões sérias e exasperantes sobre a Segunda Guerra Mundial, durante as quais tento explicar às duas neutralistas, que creem manter uma posição moral superior, o que estava acontecendo na Europa durante a juventude delas? E Elisabeth é a mais veemente (com uma visão ingênua e simplista), insistindo, até mesmo quando praticamente ameaço *bater* nela para fazê-la enxergar a realidade, que a guerra era "culpa de todo mundo". Diante disso, como imaginar que ela não apenas está entrando em parafuso como pensando de manhã à noite de que forma dar cabo da vida?

Após o "acidente" — assim descrevemos num telegrama para seus pais o braço quebrado e a leve concussão que Elisabeth sofreu ao se pôr na frente de um caminhão dezesseis dias depois que me mudei de Tooting Bec para o porão onde as garotas moram —, continuo a pendurar meu paletó de tweed no armário dela e a dormir, ou tentar dormir, em sua cama. E, de fato, creio que continuo lá porque, no estado de choque em que me encontro, por enquanto sou simplesmente *incapaz* de ir embora. Noite após noite, sob os olhos de Birgitta, escrevo cartas para Estocolmo em que busco explicar quem sou para Elisabeth; sento diante da máquina de escrever para iniciar um trabalho que preciso entregar em breve ao meu orientador de sagas islandesas, acerca do declínio da poesia escáldica devido ao uso excessivo das figuras de linguagem que substituem o nome habitual de uma pessoa ou coisa, porém termino dizendo a Elisabeth que não percebi que ela só estava tentando me agradar porque, inocentemente — "na verdade, imperdoavelmente" —, havia acreditado que, tal como Birgitta e eu próprio, ela também tinha prazer.

Com frequência — no metrô, no *pub*, durante alguma aula —, tiro do bolso a primeira carta, escrita em seu quarto no dia em que voltou para casa, desamassando-a a fim de reler aquelas frases ginasianas que exercem sempre o mesmo efeito sobre mim: como fui idiota, que falta de sensibilidade, que cegueira! *"Älskade David!"*, ela começa, e então, em seu inglês peculiar, explica que se apaixonara por mim, não por Gittan, e havia ido para a cama com nós dois porque eu queria, e ela estava pronta a fazer tudo que eu quisesse... Numa letra bem miúda, confessa temer que, se voltasse para Londres, ainda faria aquilo.

Não sou tão forte quanto Gittan. Sou apenas uma Bettan bem fraquinha e não posso fazer nada para mudar isso. Foi como viver no inferno. Estava apaixonada por alguém, e o que eu fazia nada tinha a ver com o amor. Era como se eu não fosse mais um ser humano. Sou tão boba e sinto muito se meu inglês escrito é estranho. Mas sei que nunca mais na vida devo fazer o que nós três fizemos. Isso quer dizer que a bobinha aprendeu alguma coisa.

Din Bettan

E, mais abaixo, suas palavras finais de perdão: *"Tusen pussar och kramar"* — mil beijos e abraços.

Em minhas cartas, confesso repetidamente que jamais percebera a natureza de seus sentimentos para comigo — nem a profundidade de meus sentimentos para com *ela*! Digo que isso também é imperdoável, além de "triste" e "estranho", e, quando a contemplação dessa ignorância me leva quase às lágrimas, afirmo ser algo "assustador" — e não estou mentindo. Tento oferecer a nós dois alguma esperança ao lhe dizer que encontrei um quarto para morar (dentro de alguns dias realmente tenciono procurar uma nova acomodação) num dormitório da universidade e que ela agora deve mandar as cartas para lá — se é que deseja me escrever de novo — e não para o endereço antigo, aos cuidados de Birgitta... E, enquanto componho esses pedidos sinceros de desculpa e de perdão, sou tomado pelas emoções mais desordenadas e contraditórias — uma sensação de depreciação, de repugnância, de vergonha e remorso genuínos acompanhada de um forte sentimento de que não sou culpado de nada, de que a culpa é tanto dos indianos que cozinhavam arroz com curry às duas da manhã quanto minha pelo fato de a indefesa e inocente Elisabeth se pôr na frente de um caminhão. E o que dizer de Birgitta, que supostamente era a protetora de Elisabeth e que agora fica lá deitada na cama, do outro lado do quarto, estudando sua gramática inglesa, totalmente indiferente — ou fingindo-se de indiferente — a meu drama de autorrepugnância? Como se o fato de o caminhão haver quebrado o braço de Elisabeth, e não o pescoço, a livrasse de qualquer responsabilidade! Como se o comportamento de Elisabeth conosco tivesse a ver apenas com a consciência de sua amiga, e não com a dela nem com a minha. Embora sem dúvida, sem a *menor* dúvida, Birgitta seja tão culpada quanto eu por nos aproveitarmos da natureza dócil de Elisabeth. Ou não? Não é verdade que Elisabeth se voltava instintivamente para Birgitta, e não para mim, sempre que mais necessitava de afeto? Quando, exauridos, jazíamos sobre o tapete surrado (pois era o chão, e não a cama, que costumávamos usar como altar para os nossos sacrifícios), quando lá ficávamos, os membros desfalecidos em meio às pequenas peças de roupa de baixo, tontos, saciados e confusos, era sempre Birgitta quem segurava a cabeça de Elisabeth, lhe acariciava o rosto e sussurrava palavras de conforto como a mais dedicada mãe entoando uma canção de ninar. Meus braços, minhas mãos e minhas palavras pareciam não ter utilidade para ninguém naquele momento. Na verdade, meus braços, mãos e palavras significavam tudo até eu gozar, quando então as duas garotas se abraçavam como menininhas brincando numa casinha construída no alto de uma árvore ou numa tenda onde simplesmente não há lugar para nenhuma outra pessoa...

Abandonando a carta no meio, saio aos tropeções para a rua e atravesso metade de Londres a pé (em geral na direção do Soho) a fim de me controlar. Nessas incursões raskolnikovianas (Raskolnikov, cumpre admitir, tal como interpretado por Pudd'nhead Wilson), procuro "organizar meus pensamentos". Isso quer dizer que eu gostaria de poder lidar com essa inesperada reviravolta assim como Birgitta faz. E, como não consigo atingir espontaneamente esse tipo de equanimidade — ou reunir esse tipo de força, caso disso se trate —, busco chegar lá pela via do raciocínio. Sim, utilizar meu cérebro de bolsista da Fulbright — para alguma coisa ele deve servir nestas paragens! Pense direito, porra! Não é tão difícil. Você não se aproximou dessas duas garotas a fim de atingir a santidade! Longe disso! Não bolou todas as coisas que fizeram juntos a fim de agradar seu papai e sua mamãe! Longe disso! Ou vá para casa e brinque de esconde-esconde com a Sedosa Walsh, ou fique onde está e faça o que bem entender! Birgitta também é gente, você sabe disso! Força e lucidez também são qualidades humanas (caso se trate mesmo de força e lucidez), e não fica bem choramingar depois dos quatro anos de idade! Também não venha com essa história de menino malvado! Elisabeth tem toda a razão: Gittan é Gittan, Bettan é Bettan, e chegou a hora de você ser você!

Ao "organizar os pensamentos" dessa forma, não demora muito e começo a me lembrar da noite em que Birgitta e eu — cercando e acossando Elisabeth — insistimos para que nos dissesse, como nós dois já havíamos feito, o que no íntimo ela mais desejava, o que só ousava imaginar e jamais na vida tivera a coragem de fazer ou de permitir que lhe fizessem. "O que é que você nunca foi capaz de admitir para ninguém, Elisabeth, nem mesmo para você?" Agarrando com os dez dedos a manta arrancada da cama para nos cobrir no chão, Elisabeth começou a chorar baixinho e, no seu inglês encantadoramente musical, admitiu que gostaria de ser possuída por trás enquanto estivesse curvada sobre uma cadeira.

Sua resposta não me satisfez. Só depois que a pressionei mais, só depois de lhe haver exigido "Mas o que mais, o que mais? Isso não é nada!", só então ela por fim se entregou e "confessou" que queria que eu lhe fizesse aquilo com seus pés e mãos amarrados. Talvez ela quisesse, talvez não...

Passando por Picadilly, componho outro parágrafo de especulação moral a ser incluído na mais recente carta destinada a educar minha vítima inocente — e a mim. Na verdade, com o que possuo de sabedoria — bem como de recursos verbais e modelos literários — estou de fato tentando compreender se fui o que os cristãos chamam de pecaminoso e o que eu chamaria de desumano. "E mesmo se você *realmente* quisesse o que nos disse querer, que lei é essa que exige que qualquer desejo secreto que a gente seja chamado a satisfazer deva ser satisfeito de imediato?" Usamos meu cinto e um cordão da mochila de Birgitta para amarrar Elisabeth a uma cadeira de espaldar reto. Mais uma vez as lágrimas rolaram por seu rosto, fazendo com que Birgitta a

acariciasse e perguntasse: "Bettan, quer que a gente pare agora?".
Mas a longa cabeleira de Elisabeth, aquela catadupa infantil de
madeixas cor de âmbar, chicoteou suas costas nuas quando ela
sacudiu veementemente a cabeça num gesto de desafio. Desafio
a quem, me pergunto? Desafio a quê? Ora, não consigo entender nada dela! "Não", Elisabeth murmurou. A única palavra que
pronunciou do começo ao fim. "'Não' quer dizer parar?", perguntei. "Ou 'não' quer dizer vamos em frente? Elisabeth, você
está me entendendo? Pergunte a ela em sueco, pergunte a ela..."
Mas "não" é tudo que ela responde; "não", e "não", e "não" outra
vez. Portanto prossegui, mais ou menos como quem cumpre instruções. Elisabeth chora, Birgitta observa, e de repente fico tão
excitado com tudo aquilo — as respirações ofegantes, os sons
caninos que escapam de nossas gargantas — que seria capaz de
fazer qualquer coisa, que quero fazer aquilo e farei! Por que não
quatro garotas, por que não cinco... "Quem, senão um malvado,
sustentaria que qualquer desejo que se é chamado a satisfazer
deve ser satisfeito de imediato? No entanto, minha doce, querida
e preciosa menina, essa parecia ser a lei sob a qual nós três havíamos decidido viver — havíamos *concordado* em viver." E a
esta altura estou num vestíbulo na Greek Street, onde afinal paro
de pensar no que escrever para Elisabeth acerca de minha abis-
sal iniquidade, e também paro de pensar na indecifrável Birgitta
— será que ela não tem nenhum remorso? nenhuma vergonha?
nenhuma lealdade? nenhum limite? —, que já terá lido a carta
pela metade deixada na Olivetti (e que sem dúvida se impressio-
nará com a *profundidade* do sultão com quem coabita).

Num quartinho em cima de uma lavanderia chinesa, tento
a sorte com uma prostituta de trinta xelins, uma estiolada camponesa com sotaque do leste de Londres chamada Terry, a Terrível,
que me considera um tarado sexual e cuja resoluta indecência
havia tido, no passado, efeitos extraordinários sobre a detonação

do meu sêmen. Agora, as habilidades de Terry não servem para nada. Ela me mostra sua extraordinária coleção de fotos pornográficas; descreve, com não menos imaginação que a sra. Browning, as maneiras pelas quais faremos sexo; indo além, faz imensos elogios à grossura e ao comprimento de meu membro e à sua capacidade de penetração na última vez em que foi visto ereto; mas os quinze minutos de trabalho duro que então dedica à massa desfalecida não produzem nenhum resultado significativo. Confortando-me o mais que posso com a forma carinhosa com que Terry define o evento — "Sinto muito, Yankee, mas parece que ele hoje está muito dorminhoco" —, atravesso Londres de volta a nosso porão, finalizando no caminho minha investigação do dia sobre o malefício que terei ou não cometido.

Pelo visto, o melhor teria sido aplicar toda essa concentração no uso excessivo das figuras de linguagem na poesia islandesa da segunda metade do século XII. Dispondo de tempo suficiente, eu poderia entender a razão de tal fenômeno. Em vez disso, nem consigo me aproximar da verdade, ou mesmo entrever a verdade, nas cartas prolixas que envio regularmente para Estocolmo, enquanto o ensaio que por fim leio perante os colegas de curso leva o orientador a convidar-me a ir a seu escritório após a aula, fazer-me sentar numa cadeira e perguntar, com um levíssimo traço de sarcasmo: "Me diga, sr. Kepesh, tem certeza de que está seriamente interessado na poesia islandesa?".

Um professor me repreendendo! Tão inimaginável quanto meus dezesseis dias num quarto com duas garotas! Assim como a tentativa de suicídio de Elisabeth Elverskog! Fico tão surpreso e humilhado por essa admoestação (sobretudo na esteira das acusações que venho dirigindo a mim mesmo na condição de advogado da família de Elisabeth) que não encontro coragem para voltar a seus seminários; como Louis Jelinek, nem mesmo respondo aos bilhetes em que o orientador me chama para conversar sobre meu desaparecimento. Será possível? Estou mesmo para ser reprovado numa matéria. *Deus meu, o que virá depois?* Isto.

Certa noite, Birgitta me diz que, enquanto fiquei prostrado na cama de Elisabeth desempenhando o papel de "padre proscrito", ela vem se dedicando a algo "um pouquinho perverso". Na verdade, começou algum tempo atrás, quando chegou a Londres e foi se consultar com um médico sobre um problema digestivo. O doutor lhe disse que, para fazer o diagnóstico, precisava coletar uma amostra de secreção vaginal. Pediu que ela se despisse e deitasse para ser examinada, quando então, com a mão ou algum instrumento — ela ficara tão chocada que não sabia dizer —, começou a massageá-la entre as pernas. "Por favor, o que o senhor está fazendo?", ela perguntou. Segundo Birgitta, ele teve o desplante de responder: "Olhe, você pensa que gosto disso? Tenho um problema de coluna, minha querida, e essa posição não ajuda em nada. Mas preciso de uma amostra, e essa é a única maneira de obtê-la". "Você deixou ele continuar?" "Eu não sabia o que fazer. Como podia dizer a ele que parasse? Fazia só três dias que eu tinha chegado aqui. Eu estava um pouco assustada, você sabe, nem tinha certeza se estava entendendo o inglês dele. E ele parecia mesmo um médico. Alto, bonito, simpático. E com roupas muito elegantes. Pensei que talvez fosse assim que eles fizessem as coisas aqui. Ele ficou perguntando: 'Já está sentindo a cãibra?'. No começo não entendi o que ele queria dizer — depois me vesti e fui embora. Havia gente na sala de espera, uma enfermeira... Ele mandou uma conta de dois guinéus." "É mesmo? E você pagou?" "Não." "E aí?", pergunto, dividido entre a incredulidade e a excitação. "No mês passado", diz Birgitta, falando num inglês mais cuidadoso do que normalmente, "voltei lá. Comecei a pensar o tempo todo naquilo. É nisso que penso quando você escreve todas essas cartas para Bettan." Será que é verdade?, me pergunto. O que haverá de verdade nisso? "E então?" "Agora vou ao consultório dele uma vez por semana. Na hora do almoço." "E ele te masturba? Você deixa ele te masturbar?" "Deixo." "Verdade, Gittan?" "Fecho os olhos e ele faz com a mão." "E... depois?" "Me visto. Volto para o parque." Estou querendo ouvir mais — alguma coisa ainda mais chocante —, mas é tudo. Ele a masturba e deixa que ela vá embora. Será verdade? Será que essas coisas acontecem? "Como ele se chama? Onde é o consultório dele?" Para minha surpresa, Birgitta me diz tudo sem nenhuma relutância.

Horas depois, incapaz de entender um único parágrafo de *Arthurian Tradition and Chrétien de Troyes* (segundo me disseram, fonte valiosíssima para o trabalho que preciso apresentar em meu outro curso), corro para uma cabine telefônica no final de nossa rua e procuro no catálogo o nome do doutor — encontrando-o no endereço da Brompton Road! Amanhã de manhã, a primeira coisa que vou fazer é ligar para ele e dizer (talvez até mesmo com meu sotaque sueco): "Dr. Leigh, cuidado, se continuar abusando das meninas estrangeiras vai se dar muito mal". Mas parece que não quero realmente emendar o médico libidinoso, e sim descobrir (tanto quanto puder) se a história de Birgitta é mesmo verdadeira. Não que eu saiba muito bem se quero ou não que ela seja verdadeira. Não seria melhor para mim se fosse mentira?

Quando volto ao quarto, tiro suas roupas. Ela não reage. Com que autoconfiança se submete — ela e a submissão são companheiras inseparáveis! Estamos ambos ofegantes e grandemente excitados. Estou vestido e ela nua. Chamo-a de putinha. Ela pede que eu puxe seus cabelos. Não tenho certeza se devo puxar com força ou não — nunca ninguém me pediu isso. Deus meu, que distância percorri desde que na primavera passada beijei o umbigo de Sedosa na lavanderia do dormitório!

"Quero saber que você está aqui", ela grita, "faz mais!" "Assim?" "Isso!" "Assim, minha putinha? Birgitta, sua vagabunda!" "Isso! Isso mesmo, isso!" Uma hora antes eu estava com medo de levar décadas até ficar potente de novo, que minha punição, na realidade, poderia até ser *eterna*. Agora passo a noite sob o domínio de uma paixão cuja impiedosa energia nunca me permiti conhecer; ou talvez nunca tenha conhecido uma garota mais ou menos da minha idade para quem tal vigor não fosse visto apenas como afronta. Acostumei-me tanto a bajular, a esmolar e a suplicar o acesso ao prazer que não me sabia capaz de *molestar* alguém, ou de que também gostaria de ser molestado e agredido. Prendendo a cabeça dela entre as pernas, forço meu membro para dentro de sua boca como se ele fosse ao mesmo tempo a corda de salvação que a impediria de sufocar e o instrumento que iria asfixiá-la. E como se eu fosse uma sela, ela se planta sobre meu rosto e cavalga sem cessar. "Me fala umas coisas!", exclama Birgitta, "eu gosto que você me fale coisas! Me fala todo tipo de coisas!" E de manhã não há arrependimento nenhum de nada do que foi dito ou feito — longe disso. "Parecemos farinha do mesmo saco", comento. Ela ri e diz: "Faz tempo que eu sei disso". "É por isso que fui ficando." "Eu sei", ela responde, "eu sempre soube."

No entanto, continuo a escrever para Elisabeth (embora não mais na presença de Birgitta). Aos cuidados do dormitório da universidade — um amigo americano se oferecera para receber minha correspondência em sua caixa e reenviá-la a mim depois —, Elisabeth manda uma fotografia mostrando que tirou o gesso do braço. Nas costas da foto, apenas uma palavra: "Eu". Escrevo imediatamente agradecendo pela fotografia em que aparece curada e saudável outra vez. Conto que estou avançando no livro de gramática sueca, que compro o *Svenska Dagbladet* na Charing Cross Road toda semana e ao menos tento ler as histórias da primeira página com a ajuda do dicionário de bolso inglês-sueco que ela me deu. E, embora o jornal que faço algum esforço para traduzir pertença a Birgitta — no tempo que eu antes reservava para suar a camisa estudando as Eddas —, ao escrever acredito que faço isso por ela, por nosso futuro, a fim de que nos casemos e eu vá viver em sua terra lecionando literatura americana. Sim, acredito que ainda possa me apaixonar por aquela garota que leva preso ao pescoço um medalhão com a foto de seu pai... na verdade, por quem creio que já me apaixonei. Só seu rosto já é lindo demais! Olhe para ele, eu me digo — olhe, seu idiota! Dentes que não podiam ser mais brancos, a curva deliciosa das maçãs do rosto, os enormes olhos azuis, os cabelos de um âmbar avermelhado que certa vez eu lhe disse — na noite em que ganhei o pequeno dicionário com a dedicatória "De mim para você" — que caíam em cachos como os das princesas dos contos de fadas. "Comum" é a palavra que melhor descreve seu nariz (ela me diz após consultar o dicionário). "É o nariz de uma camponesa, como aquilo que se planta no jardim para nascer uma tulipa." "Não é verdade." "Como se chama aquilo?" "Bulbo da tulipa." "É isso. Quando eu tiver quarenta anos, vou ficar horrível por causa desse bulbo da tulipa." Mas se trata de um nariz como o de milhões e milhões de pessoas e, em Elisabeth, de fato comovente por sua absoluta falta de orgulho ou pretensão. Ah, que rosto doce, tão cheio da felicidade acumulada na infância! Como seu riso é efervescente! A inocência de seu coração! Essa é a garota que me derrubou ao dizer num jogo de cartas: "Minha mão parece mais um pé!". Ah, como tamanha inocência é incrivelmente emocionante! Como toda vez me pega desprevenido aquele seu desarmado olhar confiante!

Entretanto, por mais que a fotografia dela me mobilize, é com a pequena e esbelta Birgitta — uma garota bem menos inocente e vulnerável que enfrenta o mundo com um rosto fino de raposa, um nariz ligeiramente pontudo, um lábio superior algo proeminente, uma boca sempre pronta para responder se necessário a alguma acusação ou formular algum desafio — que continuo a passar meu ano como bolsista num turbilhão de experimentos eróticos.

Naturalmente, circulando pelo Green Park para alugar cadeiras de lona aos passantes, Birgitta recebe quase todos os dias convites de homens que visitam Londres como turistas, homens em plena caça na hora do almoço ou homens a caminho de casa, das esposas e dos filhos no final do dia. Devido às oportunidades de prazer e excitação oferecidas por esses encontros, ela havia decidido não voltar à universidade de Uppsala terminada sua licença de um ano, tendo também abandonado os estudos em Londres. "Acho que consigo aprender inglês mais desse jeito", diz Birgitta.

Numa tarde de março, quando o sol aparece de repente e de surpresa sobre a lúgubre Londres, vou de metrô ao parque e, sentado sob uma árvore, a observo, a uns cem metros de distância, conversando com um senhor que deve ter mais ou menos três vezes a minha idade e está reclinado numa cadeira de lona. A conversa dura perto de uma hora, ao fim da qual o senhor se põe de pé, inclina formalmente a cabeça na direção dela e se vai. Seria algum conhecido dela? Algum sueco? O dr. Leigh da Brompton Road? Sem lhe dizer nada, visito o parque todas as tardes durante quase uma semana e, me ocultando sob a sombra das árvores, a espiono enquanto ela trabalha. De início, me surpreendo por me sentir tão extraordinariamente excitado toda vez que vejo Birgitta de pé junto a uma cadeira em que um homem está sentado. Naturalmente, tudo que eles fazem é conversar. É tudo que vejo. Nem uma única vez vi um homem tocar Birgitta ou Birgitta tocar um homem. E tenho certeza quase absoluta de que ela não marca encontros amorosos ou sai com qualquer um

46

deles após o trabalho. O que me excita, porém, é que ela poderia... Que, se eu lhe propusesse uma coisa dessas, Birgitta provavelmente o faria. "Que dia", ela diz certa noite na hora do jantar. "Toda a Marinha portuguesa está aqui. Meu Deus, que homens!" Mas se eu sugerisse...

Apenas algumas semanas depois, ela me surpreende ao dizer: "Sabe quem veio me ver hoje? O sr. Elverskog". "Quem?" "O pai de Bettan." Eu penso: eles devem ter encontrado minhas cartas! Ah, por que fui escrever aquilo de amarrar as mãos dela à cadeira? Estão atrás de mim, as *duas* famílias! "Ele veio te ver aqui?" "Não, ele sabe onde eu trabalho", diz Birgitta, "por isso foi lá." Será que está mentindo, estará fazendo outra vez alguma coisa "um pouquinho perversa"? Mas como ela poderia saber que durante todo esse tempo tenho vivido apavorado com a possibilidade de que Elisabeth se descontrole e nos denuncie, fazendo seu pai vir atrás de mim com um detetive da Scotland Yard ou com seu chicote... "O que ele está fazendo em Londres, Gittan?" "Ah, o negócio dele... sei lá. Só apareceu no parque para me dar um alô." *E você foi para o hotel com ele, Gittan? Gostaria de fazer amor com o pai da Elisabeth? Ele não era o senhor alto e de aparência distinta que se despediu de você com uma inclinação de cabeça naquele dia ensolarado de março? Não é aquele homem idoso que eu vi você ouvindo com tamanha avidez alguns meses atrás? Ou aquele era o doutor que gosta de brincar de médico com você no consultório dele? O que aquele homem estava te dizendo, o que estava te propondo que prendeu tanto a sua atenção?*

Não sei o que pensar, por isso penso tudo.

Mais tarde, na cama, quando ela quer se excitar ouvindo "todo tipo de coisa", por pouco não pergunto: "Você faria sexo com o sr. Elverskog? Com um marinheiro, se eu te mandasse fazer? Faria com ele por dinheiro?". Não pergunto, não apenas por medo de que ela diga que faria (como é bem capaz de dizer, quando não apenas pelo prazer de dizê-lo), mas porque eu posso retrucar: "Então vá em frente, minha putinha".

No final do período escolar, Birgitta e eu fazemos uma excursão ao continente, pegando carona: durante o dia, visitamos museus e catedrais e à noite frequentamos cafés, *caves* e tavernas, de olho nas garotas. Não tenho nenhum escrúpulo em induzir Birgitta a fazer isso de novo, como tive em Londres em persuadi-la a visitar o sr. Elverskog no hotel. "Outra garota" é uma das "coisas" com que nos excitamos continuamente desde que Elisabeth partiu meses atrás. Encontrar outras garotas é, na verdade, uma das razões de estarmos juntos nessas férias. E não nos demos nada mal na empreitada. Sem dúvida, sozinhos nem eu nem Birgitta somos suficientemente espertos ou corajosos, mas em dupla reforçamos de forma extraordinária nosso espírito transgressivo e, com o correr das noites, nos tornamos mais e mais hábeis na sedução de jovens encontradas ao acaso. No entanto, por maior que seja nossa competência e *profissionalismo* no trabalho em equipe, ainda me sinto um pouco fraco e tonto quando, conseguindo encontrar alguém interessado, nos levantamos a fim de ir conversar em algum lugar mais tranquilo. Birgitta diz sentir o mesmo, embora, já na rua, conquiste minha admiração por ter a ousadia de afastar os cabelos do rosto da jovem e resoluta estudante que está topando encarar o que der e vier. Vendo minha companheira tão destemida e confiante, recobro minhas faculdades mentais — assim como meu equilíbrio — e dou um braço a cada garota, dizendo, agora sem o menor tremor na voz, com um misto sofisticado de ironia e sinceridade: "Vamos, amigas — vamos embora!". E penso o tempo todo o que venho pensando há meses: *Será que isso está acontecendo? Isto também?* Porque na minha carteira, juntamente com a foto de Elisabeth, há outra da casa de sua família à beira-mar, que me foi enviada pouco antes de receber minhas notas lamentáveis e pegar o trem com Birgitta. Fui convidado a visitá-la na diminuta Trångholmen e ficar na ilha o tempo que quisesse. E por que não vou? Poderia me casar com ela lá! O pai dela não sabe de nada, e nunca saberá. O chicote, o detetive, as cenas de raiva assassina, o plano secreto de me fazer pagar pelo que fiz à sua filha — isso não passa da minha imaginação descontrolada. Por que não permitir que minha imaginação tome outro rumo? Por que não imaginar Elisabeth e eu remando rente à costa rochosa e aos altos pinheiros até chegarmos à extremidade da ilha onde a balsa de Waxholms atraca todos os dias? Por que não imaginar sua família sorrindo e acenando quando voltamos no bote com o leite e a correspondência? Por que não imaginar a doce Elisabeth na varanda da linda casa pintada de vermelho dos Elverskog, grávida do primeiro de nossos filhos sueco-judeus? Sim, há o incomensurável e maravilhoso amor de Elisabeth, e há a incomensurável e maravilhosa audácia de Birgitta — e *posso ter o que quiser*. Não é maravilhoso? A fornalha ou a lareira! É isso que as pessoas querem dizer quando falam das possibilidades da juventude...

Mais possibilidades da juventude. Em Paris, num bar não muito distante da Bastille, onde o dissoluto marquês foi punido por seus crimes vis e audaciosos, uma prostituta senta conosco numa mesa de canto e, enquanto zomba em francês do meu corte de cabelo à escovinha, bolina Birgitta debaixo da mesa. Em meio à nossa excitação — pois minha mão também se move sob a mesa —, aparece um homem que me repreende por permitir que minha jovem esposa se submeta a tamanhas indignidades. Levanto-me, com o coração disparado, a fim de explicar que não estamos casados, que somos estudantes e que ele não tem nada a ver com o que fazemos. No entanto, malgrado minha pronúncia excelente e as construções gramaticais perfeitas, ele saca um martelo do macacão e o agita no ar.

"*Salaud!*", grita. "*Espèce de con!*" De mãos dadas com Birgitta, pela primeira vez corro para salvar minha vida. Não conversamos sobre o que acontecerá no final do mês. Cada um se pergunta: à luz do que aconteceu, o que pode vir a acontecer? Isto é, eu presumo que voltarei para os Estados Unidos a fim de retomar os estudos, dessa vez *a sério*, e Birgitta presume que, quando eu for embora, ela arrumará sua mochila e irá comigo. Birgitta já disse aos pais que está pensando em estudar durante um ano nos Estados Unidos e, aparentemente, eles concordam. Mesmo que não concordassem, é bem provável que Birgitta faria o que bem entendesse.

Quando me preparo para a conversa difícil que precisaremos ter mais cedo ou mais tarde, me ouço assumindo um tom muito vacilante e lamuriento. Nada do que digo soa bem, nada do que ela diz soa mal — e, entretanto, sou eu que invento o diálogo. "Vou para a universidade de Stanford. Vou voltar para obter meu diploma de doutorado." "E daí?" "Tenho pesadelos terríveis sobre a universidade, Gittan. Isso nunca me aconteceu. Fiz uma cagada com minha bolsa da Fulbright." "Fez mesmo?" "E quanto a nós dois..." "O quê?" "Bom, não acho que tenhamos um futuro juntos. Você acha? Quer dizer, nós nunca vamos poder voltar a fazer sexo de um jeito normal. Não vai funcionar para nós — subimos demais as apostas. Fomos longe demais para poder voltar atrás." "Você acha?" "Acho, sim." "Mas a ideia não foi só minha, você sabe." "Eu não disse que foi." "Então é só pararmos de ir longe demais." "Mas não *podemos*. Ah, você sabe disso." "Mas eu faço o que você quiser." "Não é mais possível. Ou será que você quer dizer que eu te submeti a meu poder o tempo todo, que você é outra Elisabeth corrompida por mim?" Ela me dá aquele sorriso encantador de dentuça. "Então quem é a outra Elisabeth?", ela pergunta. "*Você?* Ah, não é verdade. É você mesmo quem diz. Você é um cafetão por natureza, você é um polígamo por natureza, tem até mesmo um toque de estuprador..." "Muito bem, talvez eu tenha mudado de ideia sobre tudo isso, talvez eu tenha sido um idiota de dizer todas essas coisas." "Mas como é que você pode mudar de ideia sobre o que é a sua natureza?", ela pergunta.

Na verdade, voltar para os Estados Unidos a fim de retomar a sério os estudos não chegava a exigir que eu abrisse caminho — algo desajeitadamente, algo tolamente — através daquela floresta de objeções autoindulgentes. Não, nenhum debate desafiador sobre minha "natureza" era necessário para que eu me livrasse dela e da nossa fantástica vida de prazeres excitantes — pelo menos não ali e naquela hora. Despíamo-nos para dormir num quarto alugado por uma noite numa cidadezinha do vale do Sena, a uns trinta quilômetros de Rouen, onde eu tencionava visitar, no dia seguinte, o túmulo de Flaubert. Birgitta começou então a relembrar os sonhos tolos que a palavra Califórnia despertava nela quando jovem: carros conversíveis, milionários, James Dean... Interrompi: "Vou para a Califórnia sozinho. Vou sozinho, sem ninguém".

Minutos depois ela está vestida de novo, a mochila pronta para enfrentar a estrada. Deus meu, ela é até mais corajosa do que eu imaginava! Quantas garotas existirão no mundo como ela? Ousa fazer tudo, e no entanto é tão mentalmente sadia quanto eu. Mentalmente sadia, inteligente, destemida, autoconfiante — e loucamente lasciva! Tudo que eu sempre desejei. Então, por que estou fugindo? Em nome de quê? Mais lendas arturianas e sagas islandesas? Olhe, se eu esvaziasse o bolso das cartas de Elisabeth e das fotografias de Elisabeth — além de varrer da minha imaginação o pai de Elisabeth —, se fosse me entregar por inteiro ao que possuo, a quem tenho como companheira e àquilo que talvez seja mesmo minha natureza... "Não seja ridícula", digo a ela, "onde você vai encontrar um quarto a esta hora? Ah, Gittan, que merda, *preciso* ir para a Califórnia sozinho! Tenho que voltar a estudar!"

Como resposta, nenhuma lágrima, nenhuma demonstração de raiva e nem mesmo um desprezo significativo. Embora também nenhuma admiração especial por mim como uma intrépida força carnal. Da porta, ela diz: "Sabe por que gostei tanto de você? Porque você é um garotão", e nisso se resume a discussão sobre meu caráter, sendo tudo que a dignidade dela aparentemente exige ou permite. Não o jovem e magistral cafetão de garotas e putas, não o precoce autor de peças satíricas e indecentes, também não aquele aprendiz de estuprador — não, simplesmente "um garotão". E então com cuidado, com muito cuidado (porque, embora seja uma garota que geme quando seu cabelo é puxado e pede mais quando sua pele sofre alguma dor, apesar de sua confiança ilimitada nos mergulhos mais profundos e os nervos de aço que demonstra no mundo arriscado dos caronas, sem falar no impressionante senso de direito inalienável com que faz o que bem entende, a despeito daquela total imunidade ao remorso ou à falta de autoconfiança que tanto me excita, ela é também cortês, respeitosa e amigável, a filha perfeitamente educada de um médico de Estocolmo e sua esposa), ela fecha a porta a fim de não acordar a família de quem alugamos o quarto.

Sim, com grande facilidade a jovem Birgitta Svanström e o jovem David Kepesh se livram um do outro. No entanto, livrar--se do que ele é *por natureza* talvez seja uma tarefa mais difícil, uma vez que o jovem Kepesh aparentemente ainda não tem uma visão de todo clara sobre qual é sua verdadeira natureza. Passa a noite acordado imaginando o que faria caso Birgitta retornasse sorrateiramente ao quarto antes de o sol raiar. Pergunta-se se não deveria se levantar e trancar a porta. Nasce o dia e, nas doze horas seguintes, ela não é encontrada na cidadezinha de Les Andelys nem em Rouen — nem no Grosse Horloge; nem na

Catedral; nem onde Flaubert nasceu ou Joana d'Arc foi consumida pelas chamas, fazendo-o pensar se algum dia voltará a conhecer alguém como ela e a viver aventuras comparáveis às que viveram juntos.

Helen Baird surge anos depois, quando me encontro na reta final dos estudos de pós-graduação em literatura comparada e sinto-me triunfante graças à determinação com que estou completando minha formação acadêmica. Quase abandonei o programa a cada semestre por enfado, inquietação e impaciência, além de um crescente e perturbador embaraço que me diz que estou velho demais para me sentar numa sala de aula e ainda ter meus conhecimentos testados. Agora, porém, com o fim à vista, congratulo-me em voz alta enquanto tomo banho de chuveiro à noite, me gratificando com frases simples do tipo "Cheguei lá" e "Aguentei firme", como se eu tivesse precisado galgar o Matterhorn por ter me habilitado aos exames orais. Depois de um ano na companhia de Birgitta, percebi que, para conquistar alguma coisa duradoura, devo refrear um lado da minha personalidade altamente suscetível às mais surpreendentes e debilitantes tentações, tentações que, desde aquela noite nas imediações de Rouen, já havia reconhecido como contrárias a meus interesses maiores. Por mais longe que eu tenha ido com Birgitta, sabia como seria fácil ir ainda mais longe — relembro com frequência a excitação que senti ao imaginá-la com outros homens, trazendo dinheiro para casa no bolso... Mas será que eu *seria capaz* de fazer isso com tanta facilidade? Realmente me tornar o cafetão de Birgitta? Bem, mesmo que eu tivesse talento para tal profissão, os estudos de pós-graduação não contribuíram muito para estimular seu desenvolvimento... O fato é que, quando a batalha parece ganha, sinto-me verdadeiramente aliviado por ter podido invocar meu bom senso em favor de uma vocação séria — e muito orgulhoso de minha virtude. Então aparece Helen para me dizer sem rodeios, por exemplo, que estou tristemente iludido e errado. Será que foi para nunca esquecer tal acusação que me casei com ela?

O tipo de heroísmo dela é diferente daquele que, nessa época, julgo ser o meu — de fato, o considero sua antítese. Após um ano na University of South California, ela, com dezoito anos, decidiu acompanhar um jornalista com o dobro de sua idade para Hong Kong, onde ele vivia com a mulher e três filhos. Equipada com uma aparência deslumbrante, uma fachada corajosa e um temperamento fortemente romântico, Helen abandonou tarefas escolares, namorado e mesada, e, sem oferecer uma única palavra de desculpa ou explicação à família chocada e mortificada (que por uma semana a imaginou sequestrada ou assassinada), partiu em busca de um destino mais vibrante que o segundo ano universitário num dormitório feminino. Destino que havia encontrado — e recentemente renegara.

Fico sabendo que apenas seis meses antes ela tinha largado todas as pessoas e coisas que havia ido procurar oito anos atrás — todo o prazer e a excitação de circular em meio às antiguidades e absorver o exotismo de belos lugares encantadoramente desconhecidos —, retornando à Califórnia a fim de recomeçar a vida. "Espero nunca mais viver um ano como este último", é praticamente a primeira frase que ela me dirige na noite em que nos conhecemos durante a festa dada pelos jovens patrocinadores de uma nova revista "de arte" de São Francisco. Percebo que Helen está pronta para me contar sua história sem a menor timidez, porém eu próprio, após sermos apresentados, não havia sido tímido ao me desgarrar da garota com quem chegara à festa e caçá-la em meio às centenas de pessoas que zanzavam pela casa. "Por quê?", lhe pergunto — o primeiro dos porquês, quandos e

54

comos que ela será obrigada a me responder. "Como foi o seu ano? O que houve de ruim?" "Bom, para começar, não parei em lugar nenhum por seis meses seguidos desde que deixei a universidade." "Então por que voltou?" "Homens. Amor. Tudo saiu dos trilhos." De imediato, atribuo sua "franqueza" a uma mentalidade formada na leitura de revistas femininas — e, pura e simplesmente, a uma predileção pela promiscuidade. Ah, meu Deus, eu penso, tão bonita e tão banal. Pelas histórias que me conta, ela viveu cinquenta grandes paixões a bordo de cinquenta escunas, navegando pelo mar da China com homens que a cobrem de joias antigas e estão casados com outras mulheres. "Olhe", ela diz, percebendo como eu pareço ter avaliado tal existência, "o que é que você tem contra a paixão, sr. Kepesh? Quer saber quem eu sou — pois bem, estou lhe dizendo." "É uma verdadeira saga", respondo. Sorrindo, ela pergunta: "E por que não deveria ser? Melhor uma 'saga' do que uma porção de outras coisas que me vêm à cabeça. Me conte, o que é que você tem contra a paixão? Que mal ela lhe fez? Ou devo perguntar que bem ela lhe fez?". "A questão agora é o que ela fez ou não fez para você." "Coisas boas. Coisas maravilhosas. Deus é testemunha, nada de que me envergonhar." "Então, por que você está aqui e não lá, vivendo uma paixão?" "Porque", Helen responde, sem usar a ironia para se defender — o que talvez me tenha feito começar a abrir mão de minha própria ironia, entendendo que ela é não apenas um tipo de beleza, mas também uma pessoa de verdade, ali ao meu lado, e que até podia ser minha se eu a quisesse — "porque", ela diz, "estou ficando velha".

Ficando velha com vinte e seis anos. Enquanto, com vinte e quatro, a candidata a um doutorado que eu trouxera para a festa — e que, indignada, vai embora sem mim — havia me dito na vinda que, ao organizar as anotações na biblioteca naquela tarde, se perguntara se e quando sua vida iria começar de verdade.

Pergunto a Helen como foi a volta. A essa altura já saímos da festa e estamos um diante do outro num bar próximo. De forma menos passiva que a minha, ela havia dado o fora no sujeito com quem começara a noite. Se eu a quisesse... mas será que quero? *Devo* querer? Preciso ouvir antes como foi sua volta depois da fuga. Naturalmente, eu próprio havia sentido mais alívio que desapontamento, mas tinha vagado sem rumo apenas durante um ano. "Ah, assinei um armistício com minha pobre mãe, e minhas irmãs mais novas me seguiam para todo lado como se eu fosse uma estrela de cinema. O resto da família ficou abobalhado. Moças direitas de famílias que votam no Partido Republicano não fazem o que eu fiz. Embora, do Nepal a Cingapura, eu tenha encontrado um monte delas. Pelo jeito, há um exército de gente como eu por lá. Acho que metade das garotas que vão de Rangum a Mandalay naquela carroça voadora são de Shaker Heights." "E agora, o que você está fazendo?" "Bom, primeiro preciso achar um jeito de parar de chorar. Depois que voltei, chorei todos os dias durante os primeiros meses. Agora parece que passou, mas, sinceramente, do modo que me sinto quando acordo de manhã, seria melhor estar chorando. É que tudo foi muito bonito. Viver no meio de tanta beleza — isso é maravilhoso. Eu vibrava o tempo todo. Eu ia para Angkor todas as primaveras, na Tailândia voávamos de Bangcoc até Chiengmai com um príncipe que tinha muitos elefantes. Você precisava vê-lo com todos os elefantes. Um velhinho de pele escura se movendo como uma aranha em meio a uma manada de animais enormes. Dava para embrulhá-lo duas vezes numa orelha daqueles elefantes. Era uma berraria geral, mas ele caminhava imperturbável por lá. Talvez você pense que ver isso é, sei lá, só ver alguma coisa diferente. Mas não é o que eu pensava, eu achava aquilo uma coisa especial, autêntica. Eu costumava ir num barco à vela — isso em Hong Kong — e pegar meu amigo no fim do dia. Ele ia para o trabalho de manhã com um garoto que dirigia o barco e à noite voltávamos velejando entre os juncos e os destróiers americanos." "As delícias da vida colonial. Não é à toa que essa gente odeia abrir mão dos seus impérios. Mas ainda não entendi direito por que você abriu mão do seu império."

E nas semanas seguintes continuo a ter dificuldade em acreditar que — malgrado os diminutos Budas de marfim, as pequenas esculturas de jade e a fileira de pesos de ópio em formato de galos expostos em sua mesa de cabeceira — ela tivesse realmente levado esse tipo de vida. Chiengmai, Rangum, Cingapura, Mandalay... por que não Júpiter, por que não Marte? Obviamente, sei que esses lugares existem fora do mapa em que estudo o cenário de suas aventuras (como antes havia investigado uma aventura de Birgitta no catálogo telefônico de Londres) e dos romances de Conrad, onde pela primeira vez tive conhecimento deles — como também sei muito bem que certos "personagens" de carne e osso resolvem passar a vida nas cidades mais estranhas do mundo... Por que, então, insisto em não me convencer completamente de que a Helen de carne e osso é uma dessas pessoas? O fato de estar com ela? Qual será o personagem que não merece fé: Helen, com seus brincos incrustados de diamantes, ou o dedicado professor-assistente, com seu terninho de algodão riscado de azul e branco que não precisa ser passado depois de lavar?

Torno-me até algo desconfiado e crítico de sua beleza feminina e serena, ou melhor, da importância que ela parece atribuir a seus olhos, seu nariz, seu pescoço, seus seios, seus quadris, suas pernas — até seus pés possuem para ela pequenos encantos que devem ser louvados. Seja como for, de onde vem essa postura de rainha, os modos aristocráticos que parecem derivar quase inteiramente do acetinado de sua pele, do comprimento das pernas e braços, da largura da boca, da distância entre os olhos e do ligeiro sulco na ponta daquilo que ela descreve, sem piscar o olho (com tons sutilíssimos de verde), como seu "nariz flamengo"? Não estou minimamente acostumado com mulheres que portam sua beleza com tamanho senso de triunfo e autoestima. Minha experiência — começando com as estudantes da Syracuse que não queriam "se relacionar" comigo "naquele nível" e chegando a Birgitta Svanström, para quem a carne existia a fim de ser investigada como fonte de novos prazeres — se limitava a jovens que não davam grande importância a sua aparência, ou que ao menos acreditavam não ser decoroso mostrar que davam. Na verdade, Birgitta sabia muito bem que os cabelos cortados curto e sem maiores cuidados valorizavam seu jeitão encantadoramente dissimulado, mas, fora isso, o modo pelo qual emoldurava o rosto sem maquiagem não parecia ser um assunto que merecesse sua atenção diária. E Elisabeth, com cabelos cuja abundância era tão merecedora de elogios quanto os de Helen, simplesmente os escovava para trás, deixando que caíssem pelas costas como acontecia desde que ela tinha seis anos. Para Helen, contudo, aquela cabeleira maravilhosa — cujo tom mais se assemelhava ao do pelo de um perdigueiro irlandês — era algo comparável a uma coroa, um pináculo, um halo, posta ali não apenas para adornar ou embelezar, mas também para exprimir, para simbolizar alguma coisa. Talvez isso reflita apenas o quanto eu vinha vivendo enclausurado — porém talvez mostre realmente o poder de cortesã emanado da sensação que Helen tem de si própria como um objeto a ser idolatrado, como se esculpida em um bloco de jade de cinquenta quilos. No entanto, quando ela prende o cabelo num coque fofo atrás da cabeça e desenha uma linha negra acima dos cílios (sobre os olhos que não são nem maiores nem mais azuis que os de Elisabeth), quando enfia no braço uma dúzia de braceletes e amarra um lenço de seda em volta dos quadris à la Carmem para ir comprar algumas laranjas para o café da manhã, não fico imune ao efeito. Longe disso.

Desde cedo fui cativado pela beleza física nas mulheres, mas Helen não apenas me intriga e excita: sinto-me também alarmado e muito, muito inseguro, totalmente subjugado pela autoridade com que ela assume, confirma e torna única sua beleza, embora ao mesmo tempo suspeite das prerrogativas, da importância, que tal beleza lhe confere em sua própria imaginação. A concepção que tem de si mesma e de suas experiências às vezes me parece banal, sem deixar de ser também arrebatadora e cheia de fascínio. *Tanto quanto eu saiba, talvez ela tenha razão.*

"Helen, como é que você pôde" — ainda perguntando, ainda esperançoso de descobrir o que é ficção na fabulosa personagem que ela representa e nas narrativas asiáticas que supostamente constituiriam seu passado — "abandonar aquela deliciosa vida colonial?" "Tive que." "Por que o dinheiro da herança a tornou independente?" "David, são seis mil dólares de merda por ano. Acho que até os ascéticos professores universitários ganham isso." "Pensei que você podia ter decidido que juventude e beleza não iam durar para sempre." "Olhe, eu era uma garotinha e a escola não me dizia nada, minha família era igual a todas as outras — carinhosa, chata e decente, anos e anos vivendo sob uma camada de gelo no número 18 da Fern Hill Manor Road. A única excitação era na hora do jantar. Todas as noites, quando a sobremesa era servida, papai dizia: 'Só tem isso?', e mamãe caía no choro. Então, com dezoito anos, conheci um homem maduro. Ele era bonitão, sabia falar, podia me ensinar uma porção de coisas, me entendia perfeitamente (coisa que ninguém parecia fazer), tinha modos muito elegantes e, levando em conta como costumam ser os tiranos, não era um tirano realmente brutal. Me apaixonei por ele — para valer e em duas semanas. Isso acontece, e não apenas com jovens estudantes. Ele me perguntou: 'Por que não volta comigo?', eu disse que sim, e fui." "Numa carroça voadora?" "Dessa vez, não. *Paté* ao sobrevoarmos o Pacífico e boquete no banheiro da primeira classe. Para ser sincera, os seis primeiros meses não foram um piquenique. Mas não estou de luto por causa disso. Eu não passava de uma garota bem--educada de Pasadena, verdade, usando saia de padrão escocês e mocassim — os *filhos* do meu amigo tinham quase a mesma idade que eu. Ah, esplendidamente neuróticos, mas praticamente da minha idade. Não consegui nem aprender a comer com pauzinhos de tão assustada que eu estava. Lembro que uma noite, na minha primeira grande festa regada a ópio, acabei numa limusine com quatro bichas loucas — quatro ingleses de vestidos compridos e sapatilhas douradas. Eu não conseguia parar de rir. 'Não acredito!', fiquei dizendo, 'Não acredito!', até que o mais gordo me olhou através do seu *lorgnon* e disse: 'Claro que você não acredita, queridinha, você só tem dezenove anos'."

"Mesmo assim você voltou. Por quê?" "Não posso discutir esse assunto." "Quem era o homem?" "Ah, David, você está se tornando o melhor aluno da turma em matéria de vida real."

"Errado. Aprendi tudo aos pés de Tolstói."

Dei *Ana Kariênina* para ela ler. Ela disse: "Nada mal — só que, felizmente, ele não era nenhum Vronsky. Meu amigo, existem Vronkys aos montões, e eles te fazem chorar de tão chatos. Foi um homem — na verdade, parecido com o Kariênin. Embora, é bom dizer, não tivesse nada de patético". Isso me detém por um instante: que maneira original de ver aquele famoso triângulo! "Outro marido", eu digo. "Só metade."

"Parece misterioso, grandes lances dramáticos. Você talvez devesse escrever isso." "E você talvez devesse parar de ler tudo que foi escrito até hoje." "E fazer o que nas horas vagas?" "Voltar a pisar no mundo real." "Há um livro sobre isso, você sabe. Chamado *Os embaixadores*." Eu penso: assim como há um livro sobre você. Chamado *O sol também se levanta*, ela se chama Brett e é tão vazia quanto você. Assim como todos os amigos dela

— como parece que eram os seus. "Aposto que há um livro sobre isso", diz Helen, mordendo alegremente a isca com seu sorriso confiante. "Aposto que há milhares de livros sobre isso. Eu costumava ver todos eles enfileirados em ordem alfabética na biblioteca. Olhe, para que não haja nenhum mal-entendido, vou exagerar um pouquinho nessa questão: odeio bibliotecas, odeio livros e odeio escolas. Se me lembro bem, elas tendem a transformar tudo que se refere à vida em algo ligeiramente diferente do que é — e 'ligeiramente' é maneira de dizer. São esses pobres e inocentes professores, esses teóricos que vivem com o nariz enfiado nos livros, que transformam tudo numa coisa pior. Pensando bem, numa coisa horrorosa." "Então, o que você vê em mim?" "Ah, você na verdade também os odeia um pouco. Pelo que fizeram com você." "O que foi que eles fizeram comigo?" "Transformaram você numa coisa..." "Horrorosa?", pergunto, rindo (pois estamos travando este pequeno duelo sob o lençol da cama ladeada pelos pequenos pesos de ópio feitos de bronze). "Não, não chega a tanto. Numa coisa ligeiramente diferente, ligeiramente... errada. Tudo sobre você tem um quê de mentira — exceto seus olhos. Eles ainda são você. Nem consigo olhar para eles por muito tempo. É como enfiar a mão numa pia cheia de água bem quente para tirar a tampa." "Você se expressa de modo muito vívido. É uma criatura vívida. Também reparei nos seus olhos." "Você está se perdendo, David. Está tentando em vão ser o que não é. Tenho a impressão de que está caminhando para um precipício. Seu primeiro erro foi abrir mão daquela sueca impetuosa da mochila. Pelo que ouvi de você, ela parece um garoto de rua e, desculpe, mas, a julgar pela foto, tem cara de esquilo, mas pelo menos era uma companhia divertida. Só que, obviamente, essa é uma palavra que você despreza, não é mesmo? Assim como chamar de 'carroça' um avião decrépito. Todas as vezes que falo que alguma coisa é 'divertida', você faz

61

uma careta de dor. Meu Deus, elas realmente mexeram com você. Você é tão cheio de si, mas acho que, no fundo, sabe que se amedrontou." "Ah, não me simplifique *tanto* assim, nem romantize meu 'medo', está bem? Gosto de me divertir de tempos em tempos. Aliás, me divirto dormindo com você." "Aliás, você mais do que se diverte dormindo comigo. Você tem o que nunca teve com ninguém. E, meu caro amigo", ela acrescenta, "também não me simplifique."

"Ah, meu Deus", diz Helen se espreguiçando langorosamente quando chega a manhã, "foder é uma coisa deliciosa."

Verdade, verdade, verdade, verdade, verdade. A paixão é frenética, inesgotável e, segundo minha experiência, tem a rara capacidade de se realimentar. Analisando Birgitta agora, me parece, da nova perspectiva adquirida por mim, que, entre outras coisas, com vinte e dois anos um ajudava o outro a se transformar em algo ligeiramente corrupto, um ao mesmo tempo como escravo e feitor do outro, ao mesmo tempo como o incendiário e a coisa incendiada. Como cada um exercia grande poder sexual sobre o outro, e *também* sobre as pessoas encontradas ao acaso, havíamos criado uma atmosfera ricamente hipnótica, mas que impregnava antes de tudo meu intelecto inexperiente: eu me sentia intrigado e estimulado tanto pela ideia do que estávamos fazendo quanto pelas sensações, pelo que sentia e pelo que via. Com Helen não. Sem dúvida, primeiro tive de me acostumar ao que, no auge de meu ceticismo, pareceram ser demonstrações teatrais; mas logo depois, à medida que cresceu a compreensão, a familiaridade e por último o sentimento, comecei finalmente a abandonar parte da minha suspeição, diminuir um pouco meus interrogatórios e entender aqueles desempenhos arrebatados como fruto da própria intrepidez que tanto me atrai nela, da determinação com que se entrega por inteiro a tudo que a fascina, sem se importar se no fim isso lhe trará dor ou prazer. Errei redondamente, digo a mim mesmo, quando tentei depreciar sua mente classificando-a como banalizada pelas revistas femininas — na verdade, Helen não tem *nenhuma* fantasia, não há nela o menor espaço para fantasias, porque sua concentração é total, e por causa da engenhosidade com que manifesta seu desejo. Agora, na esteira do orgasmo, sinto-me debilitado pela gratidão e pelos sentimentos mais profundos de autocapitulação. Sou o organismo mais indefeso do planeta, se não o mais simples. Nem sei o que dizer nesses momentos. Mas Helen sabe. Sim, há coisas que essa garota sabe, e sabe muito bem. "Eu te amo", ela me diz. Bem, se algo precisa ser dito, o que pode fazer mais sentido?

Começamos então a nos dizer que somos amantes apaixonados, embora a cada conversa ressurja minha convicção de que seguimos rumos totalmente divergentes. Por mais convencido que eu esteja de que um raro e valioso companheirismo fundamenta e enriquece nossa relação amorosa, ainda não consigo me desvencilhar da imensa inquietação que Helen continua a provocar em mim. Senão, por que não podemos — por que *eu* não posso — acabar com toda essa esgrima verbal?

Por fim, ela concorda em me contar por que abandonou tudo que tinha no Extremo Oriente: faz isso para enfrentar diretamente minhas suspeitas ou para acirrar a atmosfera de mistério a que não sou capaz de resistir.

Seu amante, o último de uma série de Kariênins, começara a falar em arranjar um jeito de eliminar sua mulher num "acidente". "Quem era ele?" "Um homem muito conhecido e importante", é tudo que ela se dispõe a dizer. Engulo isso da melhor maneira possível e pergunto: "Onde ele está agora?". "Ainda aqui." "Ele não tentou te ver?" "Ficou aqui uma semana." "E você dormiu com ele?" "Claro que dormi com ele. Como poderia resistir a uma coisa dessas? Mas no final o mandei embora. Quase morri. Foi horrível vê-lo partir para sempre." "Bom, talvez ele vá em frente e mande matar a mulher como uma forma de te atrair..." "Por que você precisa zombar dele? Será que não consegue entender que ele é tão humano quanto você?" "Helen, há maneiras de se livrar de uma companheira sem que seja preciso matá-la. Por exemplo, pode-se simplesmente sair pela porta da frente." "'Simplesmente'? É assim que se faz no Departamento de Literatura Comparada? Me pergunto o que acontecerá quando você não puder ter algo que deseja." "Vou estourar os miolos de alguém para conseguir o que eu quero? Empurrar alguém no poço do elevador? O que você acha?" "Olhe, fui *eu* quem abandonou tudo e quase morri por isso — porque não aguentava nem mesmo ouvir aquela ideia sendo expressa. Fiquei aterrorizada só de saber que ele podia *pensar* numa coisa daquelas. Ou talvez a ideia foi tão dolorosamente tentadora que *tive* de fugir dela. Porque bastava eu dizer sim, era tudo que ele esperava. David, ele estava desesperado e falava sério. E você sabe como seria fácil dizer o que ele queria ouvir. É só uma palavra, leva uma fração de segundo: sim." "Vai ver ele só perguntou porque tinha certeza de que você ia dizer não." "Ele não podia ter certeza. *Eu* não tinha certeza." "Mas um homem assim tão conhecido e importante certamente podia ter mandado fazer o troço sozinho, não podia? Sem você saber que ele estava por trás da coisa? Sem dúvida um homem tão conhecido e importante dispõe de todos os meios para se livrar de uma mulher indesejada: limusines que batem, barcos que afundam, aviões que explodem no ar. Aliás, se ele tivesse feito isso por conta própria, o que você *pensava* sobre o assunto nunca teria nem importado. Se pediu sua opinião, talvez tenha sido para ouvir não." "Ah, isso é interessantíssimo. Continue. Eu digo não, e o que ele ganha?" "O que já tem: a mulher e você. Consegue ficar com tudo, e ainda se faz de gostoso. O fato de você ir embora, de a ideia se tornar real para você, de ter consequências morais para você — bem, provavelmente ele não imaginou que suscitaria esse tipo de reação na bela e arrojada fugitiva americana."

"Muito, muito inteligente. Nota dez, especialmente para a parte das 'consequências morais'. O que há de errado é que você não compreende nem um pouquinho o que existia entre nós. Só porque ele é uma pessoa poderosa, você pensa que não tem sentimentos. Mas, fique sabendo, há homens que têm as duas coisas. Nos encontramos duas vezes por semana durante dois anos. Às vezes mais, nunca menos. E jamais mudou. Era sempre perfeito. Você não acredita que essas coisas possam acontecer, acredita? Ou, mesmo que aconteçam, não quer acreditar que tenham importância. Mas aconteceu, e para mim e para ele foi mais importante do que tudo." "Mas também aconteceu sua volta. Assim como tê-lo mandado embora. Como também seu terror e sua repugnância. As maquinações desse sujeito não vêm ao caso. A coisa foi importante para você, Helen, seus limites foram atingidos." "Talvez eu tenha me enganado, e foi só sentimentalismo meu. Ou alguma forma infantil de esperança. Talvez eu devesse ter ficado, ido além dos meus limites — e aprendido que aquilo não estava fora do meu alcance." "Você não poderia", eu afirmo, "e não o fez."

E, me diga, quem estava sendo sentimental agora?

Parece que a capacidade para a renúncia dolorosa, aliada ao dom do abandono sensual, é o que torna sua atração irresistível. O fato de nunca nos darmos realmente bem, de que eu nunca tenho *certeza* total, de que lhe falta certa profundidade, de que sua vaidade é enorme — bom, tudo isso não é nada diante da estima que acabo tendo por essa jovem, bela e dramática heroína, que já arriscou, ganhou e perdeu demais ao aceitar o desafio de seus apetites. E há também a beleza propriamente dita. Ela não é mesmo a mais desejável criatura que conheci em toda a minha vida? Com uma mulher tão fisicamente cativante, da qual não posso afastar os olhos até quando está apenas bebendo café ou discando um número de telefone, com alguém cujo menor movimento corporal exerce efeitos tão poderosos sobre mim, não preciso me preocupar com a possibilidade de ser tentado pela imaginação a empreender novas aventuras ignóbeis e perturbadoras. Não é Helen a feiticeira que eu havia começado a procurar na universidade, quando o lábio inferior de Sedosa Walsh me levou a persegui-la do restaurante até o ginásio e de lá até a lavanderia do dormitório — uma criatura para mim tão linda que nela, e só nela, consigo concentrar todo o meu desejo, toda a minha adoração, toda a minha curiosidade, toda a minha lascívia? Se não é Helen, quem será? Quem me fascinará mais? Mas eu preciso ser fascinado ainda mais.

Só se nos casarmos... quando então o lado contencioso da relação simplesmente minguaria por si só, enquanto uma intimidade crescente e a certeza da permanência dissolveriam qualquer impulso que restasse, num ou noutro, para a presunção e a autodefesa. Naturalmente, não seria tão arriscado caso Helen tivesse um pouquinho mais disso ou um pouquinho menos daquilo; porém, como trato de me repetir — imaginando que estou assumindo uma posição *madura* —, não é assim que as pessoas se oferecem às outras fora do mundo dos sonhos. Além disso, o que considero ser sua "vaidade" e "falta de profundidade" é exatamente o que a faz tão interessante! Sendo assim, cumpre esperar que as meras diferenças de "opinião" (que, não receio admitir — caso isso ajude em algo —, sou o primeiro a identificar e dramatizar) não interferirão no relacionamento apaixonado que, até o momento, se mantém incólume apesar de nossos diálogos abrasivos e bastante evangélicos. Só desejo que, assim como me enganei anteriormente com respeito a seus motivos, eu esteja mais uma vez errado quando suspeito que o que ela secretamente tenciona ganhar com o casamento é o fim do romance com aquele Kariênin nada patético de Hong Kong. Só desejo que de fato ela se case comigo, e não com a barreira que eu possa representar contra o passado cuja perda quase a matou. Só posso esperar (pois nunca saberei ao certo) que é comigo que ela vai para a cama, e não com as memórias da boca, das mãos e do membro daquele amante mais que perfeito, aquele que mandaria matar sua mulher a fim de possuir a amada por inteiro.

Duvidando e esperando, querendo e temendo (prevendo um futuro movimentado e agradável em determinado momento e o mais horroroso no momento seguinte), caso-me enfim com Helen Baird — após quase três anos inteiros devotados a dúvidas, esperanças, desejos e temores. Para alguns, como meu pai, basta ver uma mulher encostada a um piano cantando "Amapola" para decidir de estalo "Lá está minha mulher", enquanto outros suspiram "Sim, é ela" só após um interminável drama de vacilações que os conduz à conclusão inescapável de que nunca mais devem ver aquela mulher. Casei-me com Helen quando o peso da experiência necessária para chegar à decisão monumental de abandoná-la se tornou tão imenso e tão angustiante que não pude imaginar a vida sem ela. Só quando por fim tive *certeza* de que aquilo *precisava acabar de imediato* é que descobri quão profundamente já estava casado por meus mil dias de indecisão, por todas as intrincadas avaliações de possibilidades que, sabe-se lá como, haviam feito um caso de amor de três anos parecer tão denso de eventos humanos quanto um matrimônio de meio século. Caso-me assim com Helen — e ela se casa comigo — quando atingimos o momento de impasse e de exaustão que acaba chegando a todos que passam anos e anos nesses arranjos claramente demarcados e labirínticos envolvendo apartamentos separados e férias conjuntas, presunções de devoção e noites à parte preestabelecidas, casos terminados com alívio a cada cinco ou seis meses e alegremente esquecidos por setenta e duas horas, mas retomados (frequentemente com um frenesi sexual delicioso, ainda que efervescente) após um encontro mais ou menos acidental no supermercado do bairro; ou reiniciados depois de um telefonema noturno cujo único objetivo era o de informar o ex-companheiro ou companheira que um documentário notável ia ser exibido outra vez na televisão às dez da noite; ou após um jantar a que o casal se comprometera a comparecer havia tanto tempo que agora não seria de bom-tom recusar, obrigando os dois a cumprirem essa última obrigação social juntos. Obviamente, um ou outro poderia ter se desincumbido sozinho do compromisso do jantar, mas então ficaria faltando o cúmplice com quem trocar por cima da mesa sinais de enfado ou divertimento, nem, ao voltar de carro para casa, haveria alguém com ideias afins com quem fosse possível repassar os encantos e as deficiências dos outros convidados; muito menos, se despindo para dormir, haveria um ser amigo ávido e sorridente, deitado já nu sobre o lençol da cama, a quem se pudesse dizer que a única pessoa realmente interessante na festa era o ex-parceiro ou parceira, cujo valor não fora antes corretamente apreciado.

Casamo-nos e, como eu deveria saber e não poderia saber, embora provavelmente sempre tivesse sabido, as críticas e desaprovações mútuas continuaram a envenenar nossas vidas, prova não apenas das marcadas diferenças de temperamento que existiam desde o início, mas também da sensação que continuo a ter de que ela devota a outro homem seus sentimentos mais profundos e que, conquanto tente esconder esse triste fato e se dedique a mim e à nossa vida, Helen sabe tão bem quanto eu que só é minha mulher porque não havia outro meio senão o homicídio (ou assim ela me diz) de se casar com aquele amante tão importante e famoso. Nos melhores momentos, quando nos mostramos mais corajosos, sensíveis e devotados, fazemos tudo para odiar o que nos separa, e não um ao outro. Como seria bom se aquele passado dela não fosse tão vívido, tão grandioso, tão operístico — se um de nós pudesse esquecê-lo! Se eu conseguisse superar esse abismo absurdo de confiança que ainda nos separa! Ou ignorá-lo! Deixá-lo para trás! Nos melhores momentos, formulamos resoluções, nos desculpamos, nos reconciliamos, fazemos amor. Mas nos piores momentos... bem, nessas horas acho que somos tão ruins quanto qualquer outro casal.

Sobre o que costumamos brigar? No começo — como terá adivinhado quem quer que (após três anos de procrastinação e ainda cheio de dúvidas) haja se atirado de cabeça nas chamas do matrimônio —, brigamos por causa das torradas. Por que, pergunto, não fazer a torrada enquanto os ovos estão sendo preparados, em vez de prepará-la antes? Assim comeríamos o pão mais quentinho. "Não acredito que estamos tendo essa discussão", ela diz. "A vida não é uma torrada!", grita por fim. "Pois é, sim!", me ouço afirmando. "Quando a gente senta para comer torradas, a vida é uma torrada. E quando você leva o lixo para fora de casa, a vida é o lixo. Você não pode deixar o lixo no meio da escada, Helen. Tem que levar até a lata no quintal. E tampar a lata." "Esqueci." "Como você pode esquecer uma coisa que está na sua mão?" "Talvez, querido, porque é lixo — e que diferença isso faz?" Ela se esquece de assinar os cheques e selar os envelopes, enquanto as cartas que lhe peço para pôr no correio, tanto as pessoais quanto as de assuntos ligados à casa, aparecem com certa regularidade meses depois nos bolsos das capas de chuva e das calças largas que usava para sair. "O que acontece entre aqui e lá? Por que você é tão esquecida, Helen? Saudades de Mandalay? Lembranças da carroça voadora, das lagunas, dos elefantes, do sol raiando como num passe de mágica..." "Não posso ficar pensando na merda das suas cartas a cada centímetro do caminho." "Mas por que então você acha que sai de casa com a carta na mão?" "Para tomar um pouco de ar, para isso! Para ver o céu! Para respirar!"

Bem cedo, em vez de assinalar seus erros e descuidos, ou refazer o que ela não havia feito, ou juntar os cacos, ou me conter (para depois xingá-la atrás da porta do banheiro), passei eu a fazer as torradas, a preparar os ovos, a levar o lixo para fora, a pagar as contas e a pôr as cartas no correio. Até mesmo quando, de forma cortês (tentando, ali do *seu* lado, estender uma ponte sobre o nosso abismo), ela me diz: "Vou fazer umas compras, quer que eu ponha essas...", a experiência, senão a sabedoria, me leva a responder: "Não, não, obrigado". No dia em que ela perdeu a carteira após retirar dinheiro da conta de poupança, assumi a responsabilidade pelas transações bancárias. No dia em que deixou o peixe apodrecer debaixo do banco da frente do carro após sair de manhã para comprar os filés de salmão que comeríamos no jantar, assumi as compras de mercado. No dia em que mandou lavar normalmente a camisa de lã que deveria ser lavada a seco, assumi as idas à lavanderia. E o resultado é que, transcorrido menos de um ano, ocupo — e me sinto feliz por fazê-lo — dezesseis horas do meu dia dando aulas e transformando em livro minha tese sobre a desilusão romântica nos contos de Anton Tchékhov (tema escolhido antes mesmo de conhecer minha mulher), enquanto Helen se dedica mais e mais ao consumo de álcool e de drogas.

Ela começa seus dias mergulhada em águas perfumadas com jasmim. Tendo passado azeite de oliva nos cabelos para lhes dar brilho após lavá-los e untado o rosto com cremes vitaminados, permanece na banheira por vinte minutos todas as manhãs, os olhos cerrados e o precioso crânio recostado num pequeno travesseiro inflável; só se move para esfregar levemente a pedra-pomes na pele mais áspera da sola dos pés. Três vezes por semana o banho é seguido pela sauna facial: vestindo o quimono azul-escuro de seda, bordado com papoulas vermelhas e cor-de-rosa, bem como com pássaros amarelos jamais vistos em terra ou mar, ela se senta diante do balcão de nossa pequena quitinete e inclina a cabeça envolta num turbante sobre uma tigela cheia de água fervendo com alecrim, camomila e flores de sabugueiro.

Depois disso, devidamente vaporizada, maquiada e penteada, está pronta a se vestir para a aula de ginástica — e para onde mais quer que vá enquanto estou na universidade: um vestido chinês de seda azul-marinho, bem justo no corpo, com gola alta e aberturas laterais na altura das coxas; brincos de diamantes; braceletes de jade e ouro; anel de jade; sandálias; bolsa de palha.

Ao voltar no fim do dia, ela diz que, depois da sessão de ioga, decidiu ir "dar uma olhada" em São Francisco, onde há anos fala em abrir um antiquário com coisas do Extremo Oriente. Já está um pouco alta e na hora do jantar ri à toa: alegre, bêbada, aérea. "A vida é uma torrada", ela comenta, bebendo em pequenos goles quatro dedos de rum enquanto eu tempero as costeletas de cordeiro. "A vida são sobras de comida. A vida são solas de couro e saltos de borracha. A vida é passar o saldo da conta para o talão de cheques novo. A vida é anotar em cada canhoto de cheque o valor pago. E a data correta, com dia, mês e ano." "É isso mesmo", concordo. "Ah", ela continua, me observando enquanto ponho a mesa, "como seria bom se a sua mulher não esquecesse o que pôs na grelha e não deixasse tudo queimar. Como seria bom se a sua mulher se lembrasse que, quando David jantava na Arcádia, a mãe dele sempre punha o garfo à esquerda e a colher à direita, e nunca os dois talheres no mesmo lado. Ah, como seria bom se a sua mulher soubesse assar a batata e passar manteiga nela como a mamãe fazia no inverno."

Quando chegamos aos trinta anos, nossas antipatias haviam se exacerbado tanto que cada um de nós se reduzira precisamente àquilo que o outro tanto suspeitara de início, o "cabotinismo" e a "afetação" professorais que Helen detesta em mim com todas as forças — "Você realmente conseguiu, David, virou um chato de galocha" —, não menos patente que sua "absoluta negligência", seu "esbanjamento idiota", suas "fantasias de adolescente" e outras coisas do gênero. No entanto, não consigo deixá-la, nem ela a mim, não até que o desastre total torne simplesmente ridícula a espera de uma conversão milagrosa do outro. Para nossa surpresa e de todos os demais, continuamos casados por quase tanto tempo quanto fomos amantes, talvez porque o casamento agora permite que cada qual ataque de frente o que julga ser seu próprio demônio (e que no começo parecia ser a salvação do outro!). Passam-se os meses e permanecemos juntos, nos perguntando se uma criança poderia resolver aquele louco impasse... ou uma loja de antiguidades para Helen... ou uma joalheria... ou psicoterapia para ambos. Muitas vezes nos ouvimos sendo descritos como um casal extraordinariamente "atraente": bem-vestidos, viajados, inteligentes, cosmopolitas (sobretudo em comparação com outros casais de professores universitários), uma renda conjunta de doze mil dólares por ano... e a vida é simplesmente um inferno.

O pouco ânimo que me resta nos últimos meses de casado só é visível na sala de aula; fora dela, meu comportamento é tão apático e ensimesmado que entre os colegas corre o rumor de que ando "sedado". Desde que minha tese foi aprovada, além do curso do primeiro ano sobre "Introdução à ficção", assumi dois módulos do curso de literatura geral para os estudantes do segundo ano. Nas semanas anteriores ao fim do semestre, quando analisamos os contos de Tchékhov e eu leio em voz alta certas passagens para as quais desejo chamar a atenção dos alunos, percebo que cada frase parece aludir à minha triste situação, como se agora todas as sílabas que formulo ou pronuncio devam escorrer pelos meus problemas. E então me ocorrem certos devaneios em plena sala de aula, de repente tão numerosos quanto irreprimíveis, e tão obviamente inspirados pela ânsia de uma salvação miraculosa — reentrada em vidas há muito perdidas, reencarnação como um ser totalmente diferente do que sou — que, de certo modo, me sinto satisfeito de estar deprimido e sem força de vontade para realizar até mesmo a mais branda fantasia.

"Compreendi que, quando você ama, ao pensar sobre esse amor deve começar com o que está acima e é mais importante que a felicidade ou a infelicidade, o pecado e a virtude em suas acepções comuns, ou não pensar nele nem um pouco." Pergunto aos estudantes o que significa essa frase e, enquanto eles dão suas opiniões, noto que num canto afastado da sala uma garota segura de si e de fala mansa, que é a minha aluna mais inteligente e bonita, além de ser também a mais entediada e arrogante, está comendo um doce e bebendo uma coca à guisa de almoço. "Ah, não coma essas porcarias", lhe digo mentalmente, vendo-nos no terraço do hotel Gritti, contemplando através do Grande Canal, com olhos semicerrados para nos proteger do brilho do sol, a fachada ocre do pequeno mas perfeito *palazzo* onde alugamos um quarto com venezianas nas janelas... estamos almoçando uma pasta cremosa acompanhada de tenros pedaços de carne de vitela regados com suco de limão... à mesma mesa em que Birgitta e eu nos sentamos para comer na tarde em que, juntando quase todos os nossos recursos, celebramos nossa chegada à Itália de Byron...

Enquanto isso, meu outro aluno brilhante explica o que o proprietário de terras Alyohin quer dizer no final de "Sobre o amor" ao falar do que "está acima e é mais importante que a felicidade ou a infelicidade, o pecado e a virtude em suas acepções comuns". O rapaz diz: "Ele lamenta não ter cedido a seus sentimentos e fugido com a mulher por quem havia se apaixonado. Agora que ela vai embora, ele sofre por ter permitido que sua consciência e seus escrúpulos, além de sua timidez, o houvessem impedido de lhe confessar seu amor, por ela estar casada e ser

73

mãe". Concordo com a cabeça, mas, como fica claro que não entendi, o rapaz inteligente se mostra desapontado. "Está errado?", pergunta, corando. "Não, *não*", respondo, enquanto penso: "O que você está fazendo, srta. Rodgers, almoçando uma barra de amendoim? Devíamos estar tomando vinho branco...". E então me ocorre que, quando estudante da Universidade da Califórnia do Sul, Helen provavelmente se parecia muito com minha entediada srta. Rodgers antes que um homem mais velho — um homem mais ou menos da minha idade! — a tivesse arrancado da sala de aula e a levado para uma vida de aventuras românticas...

Mais tarde, paro de ler em voz alta o conto "A dama do cachorrinho" e encontro o olhar inocente e não corrompido da garota judia de Beverly Hills — gorducha, esforçada e bondosa — que se senta na primeira fila desde o começo do ano e anota tudo que eu digo. Leio para a turma o último parágrafo, em que o casal de adúlteros, chocados ao se darem conta do quanto se amam, tentam em vão "compreender por que ele devia ter uma mulher e ela um marido". "E lhes pareceu que, em poucos minutos, se encontraria uma solução, e uma vida nova e bela teria início; mas ambos sabiam muito bem que o fim ainda estava muito, muito distante, e que apenas começava a parte mais difícil e complicada." Ouço-me falar sobre a comovente transparência do desenlace — nenhum falso mistério, somente os fatos nus e crus expressos de modo direto. Falo sobre a abundância de história humana que Tchékhov consegue reunir em quinze páginas, sobre como o ridículo e a ironia, mesmo num relato tão breve, cedem lugar gradualmente à dor e à compaixão. Falo de sua sensibilidade para com o momento do desengano e os processos pelos quais a realidade aparentemente estraçalha tanto os grandes sonhos de realização e aventura quanto nossas mais inofensivas ilusões. Falo sobre seu pessimismo com o que ele chama de "essa tal de felicidade pessoal", embora durante o tempo todo eu queira pedir que a garota rechonchuda da primeira fila, empenhada em registrar no caderno tudo que digo, se torne minha filha. Quero cuidar dela, lhe dar segurança, fazê-la feliz. Quero pagar suas roupas e contas médicas, quero que venha me abraçar quando estiver se sentindo só ou triste. Como seria bom se eu e Helen é que a houvéssemos criado para ser tão doce! Mas como nós dois poderíamos ter criado alguma coisa?

Mais tarde, quando por acaso a encontro no campus caminhando na minha direção, sinto-me outra vez compelido a dizer a alguém que provavelmente tem apenas dez ou doze anos menos que eu que gostaria de adotá-la, que gostaria que esquecesse seus pais (sobre os quais nada sei) e me deixasse tomar conta dela, protegê-la. "Oi, sr. Kepesh", ela diz com um ligeiro aceno de mão, e esse gesto afetuoso aparentemente me derruba. Sinto como se estivesse ficando mais e mais leve, sinto que uma onda de emoção se aproxima, que ela vai me erguer, me virar de cabeça para baixo e me jogar não sei onde. Será que vou ter meu ataque de nervos bem aqui na frente da biblioteca? Pego uma das mãos dela em minhas mãos e, com a voz embargada, lhe digo: "Kathie, você é uma boa menina". Ela abaixa a cabeça e sua testa enrubesce. "Bom", ela diz, "fico feliz em saber que alguém aqui gosta de mim." "Você é uma boa menina", repito, largando afinal sua mão e indo para casa a fim de ver se a Helen sem prole está suficientemente sóbria para preparar nosso jantar.

Por volta dessa época, recebemos a visita de um banqueiro de investimento inglês chamado Donald Garland, o primeiro amigo de Helen de Hong Kong a ser convidado a jantar em nosso apartamento. Vez por outra, é claro, ela já se embelezara espetacularmente para ir a São Francisco almoçar com uma ou outra figura oriunda do paraíso perdido, porém nunca a vi aguardar um encontro desse tipo com tamanha felicidade, numa expectativa quase infantil. De fato, no passado houve ocasiões em que, tendo gasto horas se preparando para um almoço, ela emergia do banheiro vestindo seu roupão mais batido e anunciava-se incapaz de sair de casa para se encontrar com quem quer que fosse. "Estou horrorosa." "Não está nada." "Estou", e com isso voltava para a cama e lá ficava o dia inteiro.

Donald Garland, ela me conta, é o "homem mais gentil" que conheceu em toda sua vida. "Fui levada para almoçar na casa dele durante minha primeira semana em Hong Kong e nos tornamos grandes amigos a partir daquele dia. Simplesmente nos adoramos. O centro da mesa estava enfeitado com orquídeas que Donald havia apanhado no jardim — em minha homenagem, ele disse — e o pátio onde comemos dava para o crescente da Repulse Bay. Eu tinha dezoito anos. Ele devia ter uns cinquenta e cinco. Meu Deus! Donald provavelmente já está com setenta anos! Não acreditei que ele tivesse mais de quarenta: estava sempre tão feliz, tão alegre, tão entusiasmado com tudo. Vivia com um americano muito simpático e jovial. Chips devia ter uns vinte e seis ou vinte e sete anos na época. Hoje à tarde, no telefone, Donald me deu uma notícia horrível — há uns dois meses, Chips morreu de um aneurisma quando tomavam o café da manhã; simplesmente caiu duro. Donald trouxe o corpo para Wilmington, Delaware, e o enterrou, mas aí não conseguiu ir embora. Reservava os voos e cancelava. Agora, finalmente, está voltando para casa."

Chips, Donald, Edgar, Brian, Colin… Nada tenho a comentar, nenhuma pergunta a fazer, nada que se pareça nem de longe com simpatia, curiosidade ou interesse. Ou paciência. Havia muito eu ouvira tudo que fui capaz de suportar acerca das atividades do círculo de ricos homossexuais ingleses de Hong Kong que a "adoravam". Demonstro apenas uma espécie de rude surpresa ao saber que participarei desse encontro tão especial. Ela fecha os olhos bem fechados, como se precisasse me apagar momentaneamente a fim de sobreviver. "Não fale comigo desse jeito. Não assuma esse tom horrível. Ele foi o meu amigo mais querido. Salvou minha vida centenas de vezes." *E por que você a arriscou centenas de vezes?* Mas consigo suprimir a interrogação acusatória, assim como o tom terrível que a acompanharia, porque a essa altura até eu sei que sou muito mais afetado pela raiva com relação a tudo que ela faz e fez do que por suas idiossincrasias, que eu deveria ter aprendido a desconsiderar ou ter aceitado com certa benemerência muito tempo atrás... Somente à medida que a noite avança e Garland se torna mais e mais desenvolto em suas recordações, me pergunto se ela o havia convidado ao nosso apartamento a fim de que eu visse com meus próprios olhos o quanto ela caíra por ter feito a loucura de se unir àquele chato de galocha. Fosse ou não essa sua intenção, foi o que ocorreu. Na companhia deles, não sou o simpático e jovial Chips, e sim o mestre-escola vitoriano cujo coração só se anima com o estalar do chicote e o zunido da vara. No vão esforço de expulsar de dentro de mim o puritano hipócrita, amargo e maldizente, tento com todas as forças acreditar que Helen só quer mostrar a esse homem — que tanto significou para ela, que a cobriu de tamanhas gentilezas e que acabou de sofrer uma perda terrível — que tudo vai bem com sua vida, que ela e o marido vivem confortável e amigavelmente, que seu protetor não precisa mais se preocupar com ela. Sim, Helen está agindo apenas como qualquer filha devotada que deseja poupar o pai coruja de alguma dura verdade... Em suma: a explicação da presença de Garland pode ser simples para outras pessoas, porém escapa à minha compreensão: é como se agora, quando a vida com Helen já não faz o menor sentido, eu tivesse me tornado incapaz de identificar a verdade sobre qualquer coisa.

Aos setenta anos, Garland, uma criatura delicada de ossos delgados, ainda possui certo encanto juvenil, com um jeito ao mesmo tempo de homem do mundo e de menino. Sua testa é tão frágil que parece ser possível quebrá-la batendo de leve com uma colher; as maçãs do rosto são pequenas e redondas, lembrando as bochechas lustrosas de um Cupido de alabastro. Acima da camisa aberta, um lenço claro de seda envolve o pescoço, escondendo quase totalmente a garganta, cujas rugas são o único sinal de sua idade. Nesse rosto estranhamente jovem, tudo que pode manifestar algum sofrimento são os olhos, suaves e castanhos, inundados de sentimento, muito embora a fala sincopada de Garland se recuse a revelar a menor sugestão de dor.

"O pobre Derek foi morto, você sabe." Helen não sabia. Traz a mão à boca. "Mas *como*? Derek", ela diz, se voltando para mim, "era sócio da firma de Donald. Às vezes um sujeito muito bobo, muito confuso e tudo, mas na verdade um grande coração..." Minha expressão tumular a faz retornar rapidamente a Garland. "Sim", ele confirma, "era uma pessoa muito boa, e eu gostava muito dele. Ah, era capaz de falar como uma matraca, mas bastava a gente dizer 'Derek, agora chega', e ele se calava. Bem, dois rapazes chineses acharam que ele não lhes pagou o suficiente e, por isso, o empurraram escada abaixo. Quebraram o pescoço do Derek." "Que terrível, que horror! Pobrezinho. E o que", pergunta Helen, "foi feito de todos os bichos dele?" "Os passarinhos morreram. Uma espécie de vírus deu cabo de todos uma semana depois que ele morreu. O resto foi adotado por Madge. Madge os adotou e Patricia cuida deles. Sem isso elas não saberiam o que fazer uma com a outra." "Outra vez?" "Ah, sim, a Madge, quando quer, pode ser um pavor. Chips decorou a casa dela há um ano. Ela quase enlouqueceu o pobre rapaz com o banheiro do segundo andar." Helen tenta de novo me trazer ao mundo dos vivos: explica que Madge e Patricia, proprietárias de casas vizinhas à de Donald ao longo da baía, foram estrelas do cinema inglês nos anos 1940. Donald recita os títulos dos filmes que elas fizeram. Aceno com a cabeça seguidas vezes, como uma pessoa simpática, mas o sorriso com que tentei presenteá-lo não chega a se formar. No entanto, o olhar que Helen me lança alcança o alvo belamente. "E como está a Madge?", Helen pergunta. "Quando se pinta, ainda é uma beleza. Claro que não devia mais usar biquíni." "Por quê?", pergunto, porém ninguém parece me ouvir. A noite termina com Garland, a essa altura meio bêbado, segurando a mão de Helen e me contando sobre uma famosa festa de máscaras realizada numa pequena clareira de floresta de uma ilhota no golfo do Sião pertencente a um tailandês amigo dele, a uns oitocentos metros da ponta mais ao sul da Tailândia. Chips, que havia desenhado a fantasia de Helen, a vestiu toda de branco, como o príncipe Ivan em *Pássaro de fogo*. "Ela estava deslumbrante. Uma blusa de cossaco de seda e calças largas de seda enfiadas nas botas moles de pelica prateada, e um turbante prateado com um broche de diamantes. E, em volta da cintura, um cinto de esmeraldas." Esmeraldas? Compradas por quem? Obviamente por Kariênin. E onde estaria o cinto agora? O que você é obrigada a devolver e o que pode manter? Certamente pode manter as lembranças, sobre isso não tenho a menor dúvida. "Uma princesinha tailandesa caiu no pranto ao vê-la. Coitadinha. Se vestira com tudo a que tinha direito e achou que todo mundo ia ficar embasbacado com ela. Mas, naquela noite, quem parecia pertencer à realeza era minha queridinha aqui. Ah, foi um festão. A Helen nunca te mostrou as fotografias? Você não guardou as fotografias, querida?" "Não", ela respondeu, "não tenho mais." "Ah, eu devia ter trazido as minhas. Mas nunca pensei que ia te ver... nem sabia quem eu era quando saí de casa. Lembra dos menininhos?", ele pergunta após tomar um longo gole de conhaque. "O Chips, naturalmente, botou eles todos nus, com uma pequena casca de coco escondendo os peruzinhos, e guirlandas de Natal em volta dos pescoços. Era um espetáculo quando o vento soprava! O barco encostou e lá estavam todos os meninos para receber os convidados e levá-los pela trilha iluminada por tochas até a clareira onde houve o banquete. Ah, meu Deus, é verdade... Madge aproveitou o vestido que Derek tinha usado na festa de seus quarenta anos. Ela nunca gasta um tostão se pode evitar. Sempre aborrecida com alguma coisa, mas em geral era o dinheiro que todo mundo roubava dela. Ela disse: 'Não dá só para ir a uma festa dessas, é preciso estar usando alguma coisa maravilhosa'. Então eu lhe disse, só de brincadeira, juro: 'Por que você não usa o vestido do Derek? É de gaze de seda branca coberto de paetês e com uma cauda enorme. E um decote muito fundo nas costas. Você vai ficar linda nele, querida'. E Madge respondeu: 'Como é que o vestido pode ter um decote fundo nas costas, Donald? Como é que o Derek usou ele? E os cabelos nas costas, e todas aquelas coisas nojentas?'. 'Ah, querida', respondi, 'o Derek só se depila de três em três anos.' Sabe como é", Garland me explica, "ele era esbelto, elegante, com uma pele rosada, o corpo todo sem pelos. Ah, tem uma foto de Helen que você precisa ver, David. Vou mandar para você. É da Helen sendo levada do barco por aqueles lindos menininhos locais com as guirlandas de Natal sopradas pelo vento. Com suas pernas longas e a seda toda grudando no corpo, ah, era uma perfeição absoluta. E o rosto dela — o rosto nessa foto é clássico. Tenho de te mandar, você precisa ter essa foto. Um verdadeiro deslumbramento. Quando Patricia a viu pela primeira vez — foi num almoço lá em casa e minha querida ainda usava umas roupinhas muito simples —, disse logo que ela tinha tudo para ser uma estrela de cinema. E podia ter sido. Ainda pode. E vai poder sempre." "Eu sei", responde o mestre-escola, brandindo em silêncio sua vara.

Depois que Donald sai, Helen diz: "Bom, nem preciso perguntar o que você achou dele, não é?". "É como você havia dito: ele te adora." "Realmente, o que é que te autoriza a julgar as paixões dos outros? Você ainda não sabe? O mundo é vasto, muito vasto, tem espaço para todo mundo fazer o que quiser. Você mesmo, David, houve um tempo em que você fez o que gostava. Ou pelo menos essa é a história que se ouve." "Não estou julgando nada. Você nem iria acreditar no meu julgamento." "Ah, você... Mais duro ainda consigo mesmo. Por um momento me esqueci disso." "Helen, eu apenas fiquei sentado ouvindo, não me lembro de haver dito nada sobre as paixões, preferências ou partes privadas de ninguém daqui até o Nepal." "Donald Garland talvez seja o homem mais carinhoso que existe no mundo." "Acho ótimo." "Sempre estava lá quando precisei de alguém. Houve semanas em que fui morar na casa dele. Ele me protegeu de umas pessoas horríveis." *Por que você própria não se protegeu mantendo distância delas?* "Muito bem", eu digo, "você deu sorte e isso foi ótimo." "Ele gosta de fofocar e de contar histórias, e claro que ficou um pouco sentimental demais hoje — sabemos bem pelo que ele acaba de passar. Mas entende perfeitamente como as pessoas são, o que têm para dar e o que não têm — e é dedicado aos amigos, até mesmo aos tolos. A lealdade de homens desse tipo é maravilhosa, ninguém tem o direito de falar mal deles. E não se engane. Quando ele está bem, pode ser duro como aço. Pode ser inflexível e maravilhoso." "Tenho certeza que ele foi um amigo estupendo para você." "Ainda é!" "Olhe, o que é que você está tentando me dizer? Ultimamente tenho tido dificuldade de entender bem as coisas. Corre o boato de que meus alunos é que vão me dar uma prova no fim do ano para ver se conseguiram fazer alguma coisa entrar no meu cérebro. Do que estamos falando agora?" "De que eu ainda sou uma pessoa importante para muita gente, mesmo que para você, para os eruditos professores e para suas animadas e mal-ajambradas mulherzinhas, eu esteja abaixo de qualquer crítica. É verdade que eu não sou suficientemente inteligente para fazer pão de banana e pão de cenoura, para cultivar meus próprios pés de feijão, frequentar seminários e presidir comitês que proibirão a guerra de uma vez por todas, mas as pessoas ainda olham para mim, David, aonde quer que eu vá. Eu podia ter me casado com um homem desses que *dirigem* o mundo! E nem ia precisar procurar muito longe. Odeio ser obrigada a dizer uma coisa tão vulgar e desprezível sobre mim, mas a gente chega a esse ponto quando fala com alguém que te acha repugnante." "Não te acho repugnante. Ainda estou pasmo de você ter me preferido ao presidente da ITT. Como alguém que mal consegue redigir umas poucas linhas sobre Anton Tchékhov pode sentir algo que não seja gratidão por viver com a segunda colocada do concurso Rainha do Tibete? Sinto-me honrado de haver sido escolhido como seu instrumento de suplício." "É discutível quem é instrumento de suplício aqui. Eu te causo repugnância, o Donald te causa repugnância..." "Helen, não gostei nem desgostei do sujeito. Fiz um esforço fodido. Olhe, meu melhor amigo nos tempos da universidade era praticamente o único veado lá. Tive um amigo veado em 1950, antes mesmo de eles existirem! Eu nem sabia o que era um veado e tinha um amigo veado. Não me importa *quem* usa o vestido de *quem* — ah, foda-se, esquece, desisto."

E então, numa manhã de sábado no final da primavera, quando acabei de me sentar diante da escrivaninha para começar a corrigir as provas, ouço a porta da frente do nosso apartamento abrir e fechar — e por fim teve início a dissolução daquela união irremediavelmente infeliz. Helen havia ido embora. Vários dias se passam — dias pavorosos, que incluem duas visitas ao necrotério de São Francisco, uma das quais na companhia da recatada e desnorteada mãe de Helen, que insiste em voar de Pasadena para ir ver comigo o corpo em decomposição de uma mulher "caucasiana", entre trinta e trinta e cinco anos de idade, morta por afogamento — até que fico sabendo onde ela se encontra.

O primeiro telefonema — informando que minha esposa está numa prisão de Hong Kong — foi dado pelo Departamento de Estado. O segundo é de Garland, que acrescenta alguns detalhes sensacionalistas e esclarecedores: ela havia seguido de táxi do aeroporto de Hong Kong diretamente para a mansão de seu ex-amante em Kowloon. Ele é o Onassis inglês, assim me dizem, filho e herdeiro do fundador das Linhas Marítimas McDonald--Metcalf, rei do transporte de carga do cabo da Boa Esperança à baía de Manila. Na casa de Jimmy Metcalf, ela não tinha sido autorizada a passar nem pelo criado postado na porta, não depois que seu nome foi anunciado à esposa de Metcalf. E, mais tarde, quando saiu do hotel a fim de revelar à polícia o plano elaborado anos antes pelo presidente da McDonald-Metcalf para que sua mulher fosse atropelada, o agente de plantão na delegacia deu um telefonema e em seguida um pacote de cocaína foi descoberto na bolsa dela.

"O que vai acontecer agora?", eu lhe pergunto. "Meu Deus, Donald, o que vai acontecer?"

"Vou tirar ela de lá", diz Garland.

"Isso pode ser feito?"

"Pode."

"Como?"

"Como você acha que pode?"

"Dinheiro? Chantagem? Garotas? Garotos? Sei lá, não me importa, não vou perguntar de novo. *Seja o que for que funcione, trate de fazê-lo.*"

"O problema", diz Garland, "é o que acontece depois que Helen estiver livre. Obviamente, posso lhe dar todo o conforto aqui mesmo. Posso lhe oferecer tudo de que ela precisa para se recuperar e seguir em frente. Quero saber o que você acha melhor. Ela não pode se dar ao luxo de ficar outra vez no meio do caminho."

"No meio de que caminho? Donald, isso tudo é meio confuso. Francamente, não tenho ideia do que é melhor. Me diga, por favor, por que ela não procurou você quando chegou aí?"

"Porque cismou de ver o Jimmy. Sabia que, se viesse primeiro me procurar, eu jamais deixaria ela chegar perto dele. Conheço o sujeito melhor do que ela."

"E você sabia que ela estava chegando aí?"

"Sim, claro."

"Na noite em que veio jantar aqui."

"Não, não, meu querido. Só uma semana atrás. Mas ela ficou de passar um telegrama. Eu iria buscá-la no aeroporto. Mas fez tudo no estilo Helen."

"Não devia ter feito", eu disse tolamente.

"A pergunta é: ela volta para você ou fica comigo? Quero que me diga o que você acha melhor."

"Você tem certeza de que ela sai da prisão? Tem certeza de que as acusações vão ser retiradas..."

"Eu não iria telefonar e dizer o que estou dizendo se não fosse assim."

"O que acontece então... bem, depende dela, não é? Quer dizer, preciso conversar com ela."

"Mas não pode. Por sorte eu pude. Temos sorte de que ela não está algemada e a caminho da Malásia. Nosso chefe de polícia não é o mais generoso dos homens, exceto quando se trata de si próprio. E o seu rival não é o Albert Schweitzer."

"Isso se vê."

"Ela costumava me dizer: 'É tão difícil fazer compras com o Jimmy. Se vejo alguma coisa de que gosto, ele me compra uma dúzia'. Ela dizia a ele: 'Mas, Jimmy, só posso usar uma por vez'. E ele nunca entendeu, sr. Kepesh. Ele faz tudo às dúzias."

"Está bem, acredito."

"Não quero que nada mais dê errado com a Helen — nunca mais", diz Garland. "Quero saber exatamente qual é a situação dela, e quero saber agora. Ela passou uns anos infernais. É uma criatura maravilhosa, encantadora, e a vida a tem tratado pavorosamente. Não vou permitir que nenhum de vocês dois volte a torturá-la."

Mas não tenho como lhe dizer qual é a situação dela — não sei qual é a *minha* situação. Primeiro, digo a ele, preciso entrar em contato com os familiares de Helen e tranquilizá-los. Depois ligo para ele.

Ligarei mesmo? Por quê?

Como se eu tivesse apenas lhe informado que sua filha havia se atrasado devido a uma reunião no clube após as aulas, a mãe de Helen pergunta polidamente: "E quando é que ela volta para casa?".

"Não sei."

No entanto, isso não parece perturbar a mãe da aventureira.

"Espero que me mantenha informada", ela diz alegremente.

"Sem dúvida."

"Obrigada por ter telefonado, David."

O que mais pode fazer a mãe de uma aventureira senão agradecer as pessoas por lhe telefonarem e a manterem informada?

E o que faz o marido de uma aventureira enquanto sua esposa está presa no Extremo Oriente? Bem, na hora do jantar preparo uma omelete com muito cuidado, mantendo a temperatura perfeita, e a sirvo com um pouco de salsa picada, um copo de vinho e uma torrada com manteiga. Depois tomo um longo banho de chuveiro. Ele não quer que eu a torture; certo, não vou torturá-la — mas, o que é melhor, não vou me torturar. Após o banho, decido pôr o pijama e ler na cama, sozinho. Nenhuma garota, ainda não. Isso vai chegar na hora certa. Tudo vai. Será? Estou de volta aonde me encontrava seis anos atrás, na noite em que dei um fora na minha sensata companheira e saí da festa com a Hong Kong Helen. Exceto que agora tenho um emprego,

um livro para terminar e pareço dispor deste confortável apartamento, decorado com tanto bom gosto e carinho, para meu uso
exclusivo. Como é a frase de Mauriac? "Deleitar-se com os prazeres da cama não dividida."

Durante algumas horas minha felicidade é total. Será que
alguma vez ouvi falar de algo assim, de uma pessoa ser catapul-
tada do sofrimento *direto* para a beatitude? A sabedoria popular
afirma que isso ocorre na direção oposta. Pois bem, aqui estou
para dizer que, em raras ocasiões, parece funcionar ao contrário.
Meu Deus, como me sinto bem! Nunca mais vou torturá-la ou
me torturar. Perfeito no que me concerne.

Durou mais ou menos duzentos e quarenta minutos.

Com o dinheiro que pedi emprestado a Arthur Schonbrunn, um colega que servira como conselheiro na preparação
da minha tese, compro uma passagem de ida e volta e voo para a
Ásia no dia seguinte. (No banco descubro que todo o saldo de
nossa conta de poupança havia sido sacado por Helen uma
semana antes para comprar uma passagem, só de ida, rumo à sua
nova vida.) No avião, tenho tempo para pensar — e pensar, e
pensar, e pensar. Deve ser porque a quero de volta, porque não
consigo me afastar dela, porque a amo, saiba eu disso ou não,
porque ela é meu destino...

Nem uma palavra desse roteiro me convence. Em geral,
são palavras que desprezo: o tipo de palavra preferido de Helen,
o tipo de pensamento preferido de Helen. Eu não posso viver
sem isso, ele não pode viver sem aquilo, minha mulher, meu
homem, meu destino... Coisa de criança! Coisa de filme! Coisa
de revista feminina!

No entanto, se essa mulher não é a *minha mulher*, o que
estou fazendo aqui? Se ela não é o *meu destino*, por que fiquei
pendurado no telefone das duas às cinco da manhã? Será que é
somente porque meu orgulho não permite que eu abdique em

favor de seu protetor homossexual? Não, não foi por isso. Nem estou agindo de forma responsável, ou por vergonha, masoquismo, prazer de vingança...

Sobra então o amor. Amor! A essa altura do campeonato! Amor! Depois de tudo que foi feito para destruí-lo! Mais amor, de repente, do que se viu até agora ao longo do caminho!

Durante o voo, passo o resto das horas em que não durmo relembrando cada palavra encantadora, doce e aliciante que ela pronunciou.

Acompanhado por Garland — severo, cortês, impecável agora no papel de banqueiro e homem de negócios —, por um detetive da polícia de Hong Kong e por um jovem todo certinho do consulado americano (que também fora me receber no aeroporto), sou levado a uma penitenciária para ver minha esposa. Quando deixávamos o terminal em direção ao carro, digo a Garland: "Pensei que ela já estivesse livre". "As negociações", ele responde, "parecem envolver mais interesses do que imaginávamos." "Hong Kong", me informa o jovem funcionário consular com um quê de ironia, "é o berço dos acordos coletivos." Todo mundo no carro dá a impressão de saber dos esquemas, menos eu.

Depois de revistado, permitem que eu sente com ela numa salinha cuja porta é trancada dramaticamente à chave a nossas costas. O som da chave girando na fechadura faz com que ela agarre nervosamente minha mão. Seu rosto está manchado, os lábios ressequidos, os olhos... não posso ver seus olhos sem que minhas entranhas se desintegrem. E Helen cheira mal. Apesar de tudo que senti por ela lá no alto, aqui na terra simplesmente não posso me dispor a amá-la daquele jeito. Nunca a amei assim em terra, e não vou começar numa penitenciária. Não sou esse tipo de idiota. O que talvez faça de mim algum outro tipo de idiota... isso, porém, terei de descobrir mais tarde.

"Plantaram cocaína em mim." "Eu sei." "Ele não pode fazer isso comigo." "Ele não vai fazer. O Donald vai tirar você daqui." "*Ele precisa fazer isso logo!*" "Ele está cuidando disso, não se preocupe. Você vai sair daqui logo." "Tenho que te contar uma coisa terrível. Todo nosso dinheiro foi embora. A polícia roubou. Ele disse a eles o que podiam fazer comigo — e eles fizeram. Riram de mim. Me bolinaram." "Helen, agora me diga a verdade. Preciso saber. Todos nós precisamos saber. Quando você sair daqui, quer viver com o Donald na casa dele? Ele diz que toma conta de você, ele..." "Mas eu não posso! Não! Ah, não me abandone aqui, por favor! O Jimmy vai me matar!"

No voo de volta, Helen bebe até a aeromoça dizer que não pode mais servi-la. "Aposto que você até foi fiel a mim", ela diz, adotando de repente o tom de voz peculiar de quem quer jogar conversa fora. "É, aposto que foi", prossegue, entre tranquila e entorpecida, agora que o uísque de certo modo apagou os horrores do cárcere e ela se encontra a salvo do pesadelo da vingança de Jimmy Metcalf. Não me dou ao trabalho de responder. Não há nada a dizer sobre as duas cópulas irrelevantes do ano passado: ela só riria se eu lhe dissesse quem foram suas rivais. Nem eu poderia esperar muita compreensão caso tentasse lhe explicar como havia sido insatisfatório enganá-la com mulheres que não me atraíam nem um centésimo do que ela me atraía — que não possuíam um centésimo de seu caráter, para não falar de sua beleza — e em cujos rostos eu poderia ter cuspido quando me dei conta de quanto da satisfação que lhes proporcionei derivava do fato de estarem levando a melhor sobre Helen Kepesh. Rapidamente — *quase* rapidamente demais —, eu havia percebido que seria de todo impossível enganar uma esposa tão odiada por outras mulheres quanto Helen sem me humilhar fazendo isso. Eu não tinha o dom de Jimmy Metcalf de erguer o braço e desferir o golpe fatal contra meu adversário; não, ele se valia da vingança, e eu da melancolia contestatória... A bebida e o cansaço tornaram a voz de Helen pastosa, mas, após tomar banho, comer e trocar de roupa, além de ter tido a oportunidade de se maquiar, ela quer conversar, sua primeira conversa em muitos dias. Tenciona retomar seu lugar no mundo, e não como alguém derrotado, mas como sempre foi. "Bom", ela diz, "você não precisava ser um garoto *tão* bonzinho assim, não é mesmo? Podia ter tido uns casos se isso te fizesse mais feliz. Eu aceitaria." "É bom saber", eu disse. "É você, David, que não teria permanecido inteiro. Você sabe, eu tenho sido fiel a você, acredite ou não. O único homem a quem fui fiel em toda a minha vida." Devo acreditar nisso? Posso acreditar? E se eu acreditasse? O que isso significaria para mim? Não digo nada. "Você ainda não sabe aonde eu ia às vezes depois da aula de ginástica." "Não, não sei." "Não sabe por que eu saía de manhã usando meu vestido preferido." "Eu tinha minhas teorias." "Muito bem, pois elas eram erradas. Eu não tinha nenhum amante. Não, nunca enquanto estive com você. Porque seria horrível. Você não ia aguentar uma coisa dessas — por isso não tive. Ia ficar arrasado, me perdoaria mas nunca mais seria o mesmo. Ia sangrar para sempre." "Sangrei de qualquer maneira. Nós dois sangramos. Aonde você ia toda arrumada?" "Para o aeroporto." "E aí?" "Sentava na sala de espera da Pan Am. Com meu passaporte na bolsa. E minhas joias. Ficava lá sentada lendo o jornal até alguém me perguntar se eu queria tomar um drinque na sala VIP da primeira classe." "E aposto que sempre alguém te convidava." "Sempre — você tem razão. E eu ia tomar o tal drinque. Conversávamos... e então me perguntavam se eu não queria ir com eles. Para a América do Sul, a África, qualquer lugar. Um homem até me convidou para acompanhá-lo numa viagem de negócios a Hong Kong. Mas nunca fui. Nunca. Em vez disso, voltava para casa e você começava a reclamar de mim por causa do canhoto dos cheques." "Com que frequência você fazia isso?" "Com frequência suficiente", ela responde. "Suficiente para quê? Para ver se você ainda tinha o poder?" "Não, seu idiota, para ver se *você* ainda tinha o poder." Ela começa a soluçar. "Será que vou te surpreender", ela pergunta, "se disser que acho que devíamos ter tido um filho?" "Pois eu não teria arriscado; não com você." Minhas palavras cortam o ímpeto de Helen, se é que ainda lhe sobrava algum. "Ah, seu merda, isso foi desnecessário, há maneiras menos cruéis... Por que não deixei Jimmy matar a mulher quando ele quis!", ela diz, elevando a voz. "Fala baixo, Helen." "Você precisava ver ela agora — ficou lá no vestíbulo, a três metros de mim, me olhando fixamente. Precisava ver — ela parece uma baleia! Aquele homem lindo vai para a cama com uma baleia." "Já te disse para falar baixo." "Ele mandou plantarem cocaína em mim — em mim, na pessoa que ele ama! Deixou eles pegarem minha bolsa e roubarem todo o dinheiro! E como eu amei aquele homem! Só o deixei para evitar que ele cometesse um assassinato! E agora ele me odeia por eu ser decente demais, você me despreza por eu ser indecente, e a verdade é que eu sou melhor, mais forte e mais corajosa que vocês dois. Pelo menos era, quando tinha vinte anos! Você não se arriscaria a ter um filho comigo? E se fosse com alguém como você? Será que alguma vez te ocorreu que, em matéria de ter filhos, pode ter sido o contrário? Não? Sim? Me responda! Ah, só quero ver com que boboquinha você vai se arriscar. Se tivesse tomado a iniciativa há muito tempo, anos atrás — no começo! Eu não ia dizer nada!" "Helen, você está exausta, já bebeu um bocado e não sabe o que está falando. Você nunca deu a mínima para ter um filho." "Pois dei muito, seu bobo, seu idiota! Ah, por que fui entrar neste avião com você? Eu podia ter ficado com o Donald! Ele precisa de alguém tanto quanto eu. Eu devia ter ficado na casa dele e mandado você andar. Ah, por que fui ficar tão apavorada naquela prisão?"

"Por causa do seu Jimmy. Achou que, quando saísse, ele ia te matar!" "Mas não ia — isso foi uma loucura! Ele só fez o que fez porque me ama muito, e eu o amava! Ah, eu esperei, esperei, esperei — esperei por você seis anos! Por que você não me levou para o seu mundo como um homem de verdade?" "Talvez você devesse perguntar por que não a tirei do seu mundo. Não pude. O único tipo de pessoa que poderia tirar você de lá era alguém parecido com quem te pôs nele. Sem dúvida, sei que posso falar num tom de voz horrível e lançar olhares de desprezo, mas, você sabe, nunca contratei um assassino por causa da torrada. Na próxima vez que você quiser ser salva de um tirano, encontre outro tirano para resolver o problema. Eu admito a derrota." "Ah, Deus, ah, Jesus Cristo, por que só pode haver homens cruéis ou anjinhos? Aeromoça", Helen diz, agarrando o braço da moça quando ela passa pelo corredor, "não quero nenhum drinque, já bebi bastante. Só quero fazer uma pergunta. Não se assuste. Por que só existem homens cruéis ou anjinhos, você sabe?" "Como, senhora?" "Não é isso que você vê quando viaja de um continente para o outro? Eles têm medo até de uma coisinha tão doce quanto você. Por isso você precisa fingir que está sorrindo o tempo todo. Basta olhar nos olhos desses sacanas e eles ou se ajoelham a seus pés ou te pegam pela jugular."

Quando por fim Helen dorme — seu rosto vindo pousar como de hábito no meu ombro —, tiro as provas de fim de ano da maleta de mão e recomeço onde parei umas cem horas atrás. Sim, levei minhas obrigações universitárias comigo — e fiz muito bem. Não consigo imaginar como suportaria os milhões de horas de voo restantes sem me ocupar com as provas. "Sem isso...", e me vejo estrangulando Helen com a longa trança de cabelo que ia até sua cintura. Quem estrangula o amante com seus cabelos? Não é alguém num poema de Browning? Ah, que importância isso tem?

"A busca da intimidade, não porque necessariamente conduza à felicidade, mas por ser necessária, é um dos temas que aparecem reiteradas vezes em Tchékhov."

A prova que escolhi para começar — para recomeçar — é a de Kathie Steiner, a garota que sonhei em adotar. "Bom", escrevo na margem ao lado de sua frase de abertura; volto a lê-la e, depois de "necessária", faço um sinal de inclusão e escrevo "para a sobrevivência(?)". Enquanto isso, estou pensando: "Quilômetros abaixo estão as praias da Polinésia. Muito bem, linda e querida criatura, que proveito tiramos disso? Hong Kong! A merda toda podia ter acontecido em Cincinnati! Um quarto de hotel, uma delegacia de polícia, um aeroporto. Um megalomaníaco vingativo e alguns policiais corruptos! E uma suposta Cleópatra! Nossas poupanças jogadas fora nesse *thriller* vagabundo! Ah, essa viagem é bem o retrato do nosso casamento — atravessar duas vezes mais de seis mil quilômetros do exótico globo sem nenhuma boa razão!".

Lutando para me concentrar de novo no trabalho — e não para saber se deveríamos ter tido um filho ou de quem é a culpa por não havermos tido; recusando-me a me incriminar outra vez por tudo que devia ter feito e não fiz, e tudo que fiz e não devia ter feito —, retorno à prova de fim de ano de Kathie Steiner. Jimmy Metcalf instrui a polícia: "Deem-lhe uns pontapés na bunda, meus senhores, vai fazer bem a essa putinha", enquanto controlo minhas emoções lendo cuidadosamente cada página escrita por Kathie, corrigindo cada erro de virgulação, cada derrapagem sintática, preenchendo laboriosamente as margens com meus comentários e perguntas. Eu e minhas provas de fim de ano; minha caneta de correção e meus clipes. Como o Imperador Metcalf apreciaria aquela cena — assim como Donald Garland e seu em nada generoso chefe de polícia. Suponho que eu também deva rir um pouco; porém, como sou um professor de literatura e não um policial, como sou alguém que há muito expulsou qualquer traço do tirano que tinha dentro de si — a julgar pelos acontecimentos, uma expulsão talvez demasiado radical —, em vez de varrer tudo com uma boa gargalhada chego à última frase de Kathie e perco o controle. O autodomínio que mantive desde o desaparecimento de Helen se dissolve de uma hora para a outra, e preciso virar o rosto para o lado, pressionando-o contra a janela às escuras da aeronave zumbidora que nos leva de volta para casa a fim de completarmos, de forma ordenada e legal, a separação de nossas vidas destroçadas. Choro por mim, choro por Helen e, por fim, choro ainda mais por me dar conta de que, de alguma forma, nem tudo foi destruído, que apesar de minha obsessão devoradora pela infelicidade conjugal e pelo desejo sonhador de pedir a ajuda de meus jovens alunos, ainda tive uma filha de Beverly Hills — doce, gorduchinha, incólume e até então livre de qualquer horror — que, para encerrar o segundo ano da universidade, redigiu um belo e austero lamento resumindo o que ela chama de "filosofia geral da vida de Anton Tchékhov". Mas será que o professor Kepesh lhe ensinou isso? Como? *Como?* Só estou começando a aprender neste voo! "Nascemos inocentes", a garota escreveu, "sofremos terríveis desilusões antes de aprendermos sobre a vida, para então temermos a morte — e nos é concedida apenas uma felicidade fragmentária a fim de compensar a dor."

Por fim, sou retirado dos escombros de meu divórcio pela oferta de emprego feita por Arthur Schonbrunn, que deixou Stanford para dirigir o programa de literatura comparada da Universidade de Nova York em Long Island. Pouco depois de consultar um advogado, comecei a ver um psicanalista em São Francisco, o qual recomendou que, ao voltar à costa leste, eu continuasse a terapia com um certo dr. Frederick Klinger, que ele conhecia e sabia ser alguém que não tinha receio de ser franco com seus pacientes, "um homem sólido e racional", como o descreveu, "um especialista em matéria de bom senso". Mas será que preciso de racionalidade e bom senso? Alguns diriam que arruinei tudo devido a uma devoção muito intensa exatamente a esses atributos.

Sem a menor dúvida, Frederick Klinger é sólido: um sujeito entusiástico, de rosto redondo e cheio de vida que, com minha permissão, fuma charutos durante as sessões. Não gosto muito do aroma, porém lhe dei permissão porque o ato de fumar aparentemente aumenta a intensidade com que Klinger cuida de meu desespero. Não muito mais velho do que eu e com menos fios grisalhos do que passei a exibir ultimamente, ele irradia o contentamento e a confiança de um homem de sucesso em plena maturidade. A julgar pelos telefonemas que (desafortunadamente) atende durante a minha hora, deduzo que já é uma figura de destaque nos círculos psicanalíticos, membro das diretorias de escolas, publicações e institutos de pesquisa, além de fonte derradeira de esperança para numerosas almas em mau estado. De início, sinto-me algo desconcertado com o absoluto deleite com que o doutor parece acolher suas responsabilidades — desconcertado, para dizer a verdade, com quase tudo que lhe diz respeito: o terno risca de giz com paletó tipo jaquetão, a gravata-borboleta de pontas caídas, o casacão comprido e já puído que começa a ficar apertado na altura da barriga, as *duas* pastas estourando de cheias na parte de baixo do cabide de casacos, as fotos das crianças saudáveis e sorridentes na mesa entupida de livros, a raquete de tênis no suporte de guarda-chuvas —, desconcertado até com a sacola com material de ginástica jogada atrás da ampla e gasta poltrona de onde, com o charuto na mão, ele trata de meu desgoverno. Será que esse sujeito vistoso, dinâmico e bem-sucedido poderia entender que algumas manhãs, no caminho entre a cama e a escova de dentes, luto para não me jogar no chão da sala e ficar lá todo encolhido? Eu próprio não entendo inteiramente a profundidade dessa compulsão. Tendo fracassado em ser um marido para Helen — tendo fracassado em fazer de Helen uma esposa —, me parece melhor dormir pelo resto da vida do que vivê-la.

Como, por exemplo, cheguei a essa relação terrível com a sensualidade? "O senhor? Tendo se casado com uma *femme fatale*?", pergunta ele. "Mas só para desfatalizá-la, só para arrancar suas presas. Todas as reclamações sobre o lixo, as roupas a serem lavadas e a torrada. Minha mãe não faria melhor. Reclamava dos menores detalhes!" "Ela era divina demais para se preocupar com detalhes, não é mesmo? Olhe, o senhor sabe, ela não era a Helen filha de Leda e Zeus. Ela era deste mundo, sr. Kepesh — uma garota gói de classe média, natural de Pasadena, Califórnia, suficientemente bonita para ganhar uma viagem gratuita por ano a Angkor Wat, mas isso é tudo em matéria de realizações sobrenaturais. E torrada fria é torrada fria, por mais joias que a cozinheira tenha recebido ao longo dos anos de homens casados com uma queda por mulheres jovens." "Eu tinha medo dela." "Claro que tinha." O telefone toca. Não, impossível estar no hospital antes do meio-dia. Sim, encontrou-se com o marido. Não, o cavalheiro não parece disposto a cooperar. Sem dúvida, é uma pena. E agora de volta a este senhor pouco cooperativo. "Com certeza teve medo", ele diz, "não podia confiar nela." "Eu não me *permitia* confiar nela. E ela me foi fiel. Acredito nisso." "Não tem nada a ver. Era um jogo solitário dela, só isso. Qual o valor disso quando a verdade é que vocês dois nada tinham a ver um com o outro? Pelo que estou ouvindo, a única coisa que cada um fez de *totalmente* improvável foi se casarem." "Eu também tinha medo de Birgitta." "Meu Deus", ele exclama, "quem não teria?" "Olhe, ou não estou me explicando bem ou o senhor nem quer começar a me entender. Estou dizendo que eram duas criaturas especiais, cheias de ousadia e curiosidade — e liberdade. Elas não eram mulheres comuns." "Ah, isso eu entendo." "Entende mesmo? Acho que às vezes o senhor preferiria incluí-las numa categoria inferior da humanidade, como pessoas espalhafatosas, de mau gosto. Mas o que as fazia especiais é que elas não eram nada disso, não para mim, nenhuma das duas. Eram excepcionais." "Está bem, admito." O telefone toca. Sim, como? É, estou no meio de uma sessão. Não, não, vá em frente. Sim. Sim. Claro que ele entende. Não, não, está fingindo, não dê atenção a isso. Está bem, aumente a dosagem para quatro por dia. Mas é tudo. E me ligue se ele continuar a chorar. Me ligue de qualquer jeito. Até logo. "Está bem", ele repete, "mas o que é que o senhor podia fazer tendo casado com uma dessas 'criaturas especiais'? Passar os dias e as noites acariciando os seios perfeitos delas? Entrar para o antro de ópio que ela frequentava? Outro dia o senhor disse que a única coisa que aprendeu em seis anos com Helen foi como enrolar um baseado." "Acho que dizer uma coisa dessas é uma forma de seduzir o analista. Aprendi muito." "Mas permanece o fato de que o senhor precisava trabalhar." "O trabalho não passa de um hábito", respondo, sem esconder minha irritação com sua insistente desmitificação. "Talvez", sugiro já cansado, "ler livros é o ópio das classes educadas." "Ah, é? O senhor está pensando em se tornar um hippie?", ele pergunta, acendendo mais um charuto. "Um dia, eu e Helen tomávamos banho de sol nus numa praia em Oregon. Estávamos de férias, seguindo de carro para o norte. Depois de algum tempo, reparamos que um sujeito nos olhava de trás de um arbusto. Começamos a nos cobrir, mas ele se aproximou e perguntou se éramos nudistas. Quando dissemos que não, ele nos deu um exemplar de seu jornal nudista e perguntou se queríamos fazer uma assinatura." Klinger solta uma gargalhada. "Helen disse que ele devia ser um enviado de Deus, porque àquela altura eu já estava havia noventa minutos sem ler nada." Klinger volta a rir com real prazer. "Olhe", eu lhe digo, "o senhor não faz ideia de como eram as coisas quando a conheci. Não é justo fazer pouco do que aconteceu. O senhor não sabe o que foi, nem pode saber — como eu também não posso mais —, me vendo assim neste estado. Mas, com vinte e poucos anos, eu não temia nada. Era mais audacioso que a maioria das pessoas da minha idade, sobretudo numa época em que o prazer era algo tão malvisto. Na verdade, eu fiz o que os punheteiros sonhavam fazer. Quando entrei no jogo, eu era, se é que posso dizer isto, um prodígio sexual." "E o senhor quer voltar a ser isso aos trinta anos?" Nem me dou ao trabalho de responder, chocado com a estreiteza e a intransigência de seu suposto bom senso. "Por que permitir que Helen", Klinger continua, "que tanto se deformou no esforço frenético para ser a alta sacerdotisa de Eros — que quase o destruiu com suas declarações e insinuações —, por que permitir que o julgamento dela continue a exercer poder sobre o senhor? Por quanto tempo mais tenciona deixar que ela o censure no que o senhor sente ser seu ponto fraco? Por quanto tempo tenciona se sentir fragilizado por causa de uma bobagem dessas? Qual o significado da 'audaciosa' busca dela?" O telefone. "Me desculpe", ele diz. Sim, eu mesmo. Sim, continue. Alô — sim, estou ouvindo muito bem. Como está Madri? O quê? Bem, naturalmente ele suspeita de alguma coisa, o que você esperava? Mas basta lhe dizer que ele está se comportando de uma forma idiota, e aí esqueça. Não, é claro que você não vai querer provocar uma briga. Compreendo. Basta dizer isso, e então trate de arranjar um pouco de coragem. Você pode enfrentá-lo. Volte para o quarto e diga a ele. Vamos, você sabe muito bem que é capaz. Está bem. Boa sorte. Divirta-se. Adeus. "Que busca dela foi essa", ele continua, "senão uma evasão, uma fuga infantil dos projetos realmente factíveis?" "Quem sabe", eu digo, "porque talvez os 'projetos' não passem de uma maneira de evitar a busca." "Por favor, o senhor gosta de ler e escrever sobre livros. Isso, segundo seu próprio testemunho, lhe dá enorme satisfação — pelo menos dava, e voltará a dar, posso lhe assegurar. Neste momento, está enfarado com tudo. Mas gosta de ser professor, certo? E, pelo que entendo, o senhor é um professor inspirado. Ainda não consigo ver que alternativa tem em mente. Quer se mudar para os Mares do Sul e ensinar sobre grandes livros a garotas de sarongue na Universidade do Taiti? Quer tentar ter outro harém? Ser outra vez um destemido prodígio, brincando de pegar com sua intrépida amiguinha sueca nos bares proletários de Paris? Quer que alguém o ameace de novo com um martelo — embora possa ser a última vez?" "Ridicularizar o que eu digo, o senhor sabe, não me ajuda em nada. Obviamente, não estou pensando em voltar para Birgitta. Estou pensando em avançar. E não consigo *avançar*." "Talvez avançar, pelo menos nessa estrada, possa ser uma desilusão." "Dr. Klinger, posso lhe assegurar que, a esta altura, estou suficientemente imbuído das percepções tchekhovianas para ser capaz de suspeitar disso por conta própria. Depois de ler 'O duelo' e outros contos, sei tudo que é necessário saber sobre as pessoas comprometidas com a falácia libidinosa. Também li e estudei o que escreveram sobre o assunto os grandes sábios do Ocidente. Até já dei aulas sobre isso. Até já pratiquei isso. Mas, se me permite, como Tchékhov também teve o bom senso de dizer: em matéria psicológica, 'Deus nos livre das generalizações'." "Obrigado pela aula de literatura. Me diga, sr. Kepesh: o senhor está mesmo deprimido pelo que aconteceu com ela — pelo que o senhor parece crer que *fez* a ela — ou só está tentando nos provar que é um homem dotado de sentimentos e consciência? Se esse é o caso, não exagere. Porque *essa* Helen estava fadada, cedo ou tarde, a passar uma noite na prisão. Fadada a isso desde antes de conhecê-lo. Pelo que ouço, foi assim que ela o fisgou — na esperança de ser salva da cadeia e de outras humilhações inevitáveis. E o senhor sabe disso tão bem quanto eu."

No entanto, dissesse ele o que dissesse, por mais que me sacudisse, ridicularizasse ou até tentasse usar algum charme a fim de eu deixar para trás o casamento e o divórcio, continuo vulnerável à autorrecriminação, creia ele ou não, sempre que me contam sobre as doenças que estão transformando a antiga princesa ocidental do Oriente numa mulher feia e amarga. Tomei conhecimento de um caso debilitante de rinite que não pode ser controlado mediante o uso de remédios, exigindo que ela esteja sempre esfregando um lenço de papel no nariz — nas narinas estriadas que se inflamavam, como se estivessem captando algum aroma no ar, quando Helen atingia o orgasmo. Ouço falar de extensas erupções na pele, nos dedos hábeis ("Você gosta disso?... E disso?... Ah, gosta mesmo, meu querido!") e nos lábios largos e encantadores ("O que você vê primeiro num rosto? Os olhos ou a boca? Prefiro saber que você descobriu minha boca antes."). Mas a pele de Helen não é a única que se vinga aos poucos, ou faz penitência, ou perde o ânimo, ou abandona a liça. Praticamente sem comer, desde o divórcio perdi tanto peso que pareço um espantalho, e pela segunda vez na vida lá se foi minha potência, até mesmo para as pouco ambiciosas diversões solitárias. "Eu não devia ter voltado nunca da Europa", digo a Klinger, que, a meu pedido, receitou um antidepressivo que me arranca da cama de manhã mas me deixa o resto do dia com sentimentos vagos e estranhos de encapsulação, de que existe uma vasta e insuperável distância entre mim e as hordas florescentes. "Eu deveria ter ido fundo e me tornado o cafetão de Birgitta. Seria um cidadão mais feliz, mais saudável. Qualquer outra pessoa poderia ensinar as grandes obras-primas da desilusão e da renúncia." "Verdade? O senhor preferia ser um cafetão a um professor universitário?" "Sim, pode-se dizer dessa forma." "Não, diga da sua própria forma." "Essa coisa em mim contra a qual me insurgi", digo num acesso de desesperança, "antes mesmo que eu a entendesse, ou deixasse ela viver... eu a sufoquei... a matei praticamente da noite para o dia. E por quê? Por que cargas d'água era necessário *assassiná-la*?"

Nas semanas seguintes, tento descrever, no intervalo das chamadas telefônicas, a história dessa coisa que, quando me sinto sem esperança e sem energia, continuo considerando "assassinada". Falo longamente não apenas de Helen mas também de Birgitta. Volto a Louis Jelinek, até a Herbie Bratasky, falo de tudo que cada um deles representou para mim, como cada um me estimulou e alarmou, como lidei, do meu jeito, com cada um. "Seu álbum de fotografia de criminosos", Klinger os chama na vigésima ou trigésima semana de nossos debates. "A delinquência moral", ele observa, "exerce um fascínio sobre o senhor." "Assim como", observo, "sobre os autores de *Macbeth* e *Crime e castigo*. Desculpe mencionar os títulos de duas obras de arte, doutor." "Está bem. Escuto de tudo aqui. Já estou acostumado." "Tenho a impressão de que vai um pouco contra as regras da casa apelar para as minhas reservas literárias nas nossas escaramuças, mas o ponto que estou tentando enfatizar é que a 'delinquência moral' vem ocupando a mente de pessoas sérias por muito tempo. E, de qualquer modo, por que 'delinquentes'? Não seria melhor dizer 'espíritos independentes'? Não é *menos* correto." "Só estou sugerindo que não são pessoas totalmente inofensivas." "Pessoas totalmente inofensivas levam uma vida bastante limitada, não lhe parece?" "Por outro lado, não se deve subestimar a dor, o isolamento, a incerteza e tudo mais de desagradável que pode acompanhar esse tipo de 'independência'. Veja a Helen agora." "Por favor, veja a mim agora." "Eu estou vendo, sem dúvida. Me parece que ela está em pior situação. O senhor pelo menos não pôs todos os ovos *naquela* cesta." "Não consigo ter uma ereção, dr. Klinger. Não consigo nem mesmo sorrir." O telefone toca.

Amarrado a ninguém e a nada, vagando à deriva, por vezes — assustadoramente — afundando; e, com o doutor incansavelmente arguto e defensor do bom senso, discutindo, brigando e deblaterando, retornando sempre ao assunto que originou tanta amargura matrimonial — só que quando estou deitado geralmente assumo o papel de Helen, enquanto ele, sentado, assume o meu.

Todo inverno meus pais vêm a Nova York e passam três ou quatro dias visitando parentes, amigos e seus hóspedes prediletos. No passado, todos nós costumávamos ficar na West End

Avenue com o irmão mais moço de papai, Larry, um exitoso fornecedor de mantimentos kosher, e sua mulher, Sylvia, a Benvenuto Cellini do strudel (e, na infância, minha tia preferida). Até os catorze anos, para minha surpresa e grande prazer, me faziam dormir no mesmo quarto com minha prima Lorraine. Dormir ao lado da cama em que se deitava uma garota de verdade — e além do mais em franco desenvolvimento —; jantar no Moskowitz e no Lupowitz (onde a comida era descrita por papai como *quase* tão boa quanto a preparada na cozinha do Hungarian Royale); ficar na fila do lado de fora do teatro, em temperaturas abaixo de zero, para ver as Rockettes; tomar chocolate em meio às pesadas cortinas e ao mobiliário imponente dos atacadistas de artigos de vestuário masculino e comerciantes de frutas e verduras frescas que eu só conhecera envergando camisas largas de manga curta e calções de banho caindo barriga abaixo (chamados por papai de Rei das Maçãs, Rei do Arenque e Rei dos Pijamas) — tudo naquelas visitas a Nova York provocava em mim uma emoção secreta, tanto que, devido à "superexcitação", eu sempre sentia dor de garganta na viagem de volta e, quando chegávamos ao nosso topo de montanha, eu precisava passar dois ou três dias na cama a fim de me recuperar. "Não visitamos o Herbie", digo mal-humorado segundos antes da partida, ao que mamãe retruca: "Um verão com ele não basta? Precisamos ir até o Brooklyn para que esse passeio seja especial?". "Ele está brincando com você, Belle", diz papai, embora às escondidas sacuda a mão fechada na minha direção, como se, por mencionar à mamãe o Rei dos Peidos, eu merecesse um cascudo na cabeça.

Agora que estou de volta à costa leste e meus tios vivem em Cedarhurst, Long Island, respondo pelo telefone a uma carta de papai e os convido a ficarem no meu apartamento, e não num hotel, quando vierem para a visita anual de inverno. Os dois aposentos na rua 75 Oeste na verdade não me pertencem, mas, graças a um anúncio no *Times*, foram alugados, com toda a mobília, de um jovem ator que decidiu ir tentar a sorte em Hollywood. As paredes do quarto são cobertas com um tecido adamascado carmesim, vidros de perfume se alinham na estante do banheiro e as caixas que descubro no fundo do armário de roupa de cama contêm uma meia dúzia de cabeleiras postiças. Na noite em que as encontro, cedo à curiosidade e experimento algumas. Fico parecendo a irmã de minha mãe.

Poucos dias depois de me mudar para lá, o telefone toca e um homem pergunta: "Onde está o Mark?". "Na Califórnia. Vai ficar por lá dois anos." "Sei, sei, sem dúvida. Olhe, diga a ele que Wally está na cidade." "Mas ele não está aqui. Tenho o endereço dele lá." Começo a recitá-lo, porém a voz, agora rude e agitada, interrompe: "Então quem é você?". "O inquilino dele." "É assim que chamam vocês no meio teatral? Como é que você é, gostosura? Também tem olhos azuis?" Quando as chamadas se repetem, troco o número do telefone, porém é através do sistema interno, que liga meu apartamento ao vestíbulo do prédio, que a troca de palavras continua. "Diga a seu amiguinho..." "Mark está na Califórnia, você pode entrar em contato com ele lá." "Essa é boa! Qual é o seu nome, queridinho? Venha aqui para o vestíbulo e vamos ver se consigo entrar em contato com você." "Olhe, Wally, me deixe em paz. Ele foi embora. Vá embora também." "Você também gosta de levar umas porradinhas?" "Ah, dá o fora, está bem?" "É só isso que você quer que eu dê, gostosura?" E assim segue o namoro.

Nas noites em que me sinto mais solitário, nas noites em que começo a falar sozinho ou com pessoas que não estão presentes, às vezes preciso suprimir o forte impulso de não pedir ajuda pelo interfone. O que me impede não é o fato de que isso não faz o menor sentido, e sim o medo de que um de meus vizinhos — ou, o que é pior, Wally, o Paciente — estará no vestíbulo quando meu grito estridente ecoar: o que temo é o tipo de ajuda que posso receber — se não do meu pretendente homossexual, da equipe de emergência de um manicômio. Assim, em vez disso vou ao banheiro, fecho a porta e, debruçando-me na direção do espelho a fim de ver de perto meu rosto cadavérico, solto a voz: "Quero alguém! Quero alguém! Quero alguém!". Há ocasiões em que posso repetir essas palavras durante vários minutos, até ter um acesso de choro que me deixa sem forças e, ao menos por algum tempo, livre da falta daquele alguém. Naturalmente, não estou tão perturbado a ponto de crer que, ao gritar num aposento fechado, farei aparecer a pessoa que desejo. Além disso, quem seria ela? Se eu soubesse, não precisaria berrar diante de um espelho — poderia escrever ou telefonar. *Quero alguém*, grito — e são meus pais que chegam.

Levo as malas deles para cima, enquanto papai carrega a caixa térmica em que estão acondicionadas duas dúzias de recipientes de plástico com sopa de repolho, sopa de *matzoh-ball*, *kugel* e *flanken*, todos congelados e cuidadosamente rotulados. Já no apartamento, mamãe tira um envelope da bolsa — o nome "DAVID" está datilografado exatamente no centro e sublinhado em vermelho. O envelope contém instruções para mim, escritas à máquina em papel de carta do hotel: o tempo exigido para descongelar e aquecer cada prato, detalhes sobre como temperá-los e coisas assim. "Leia isso", ela diz, "e veja se tem alguma dúvida." Papai diz: "Que tal se ele ler depois que você tirar o casaco e se sentar?". "Estou bem", ela retruca. "Você está cansada", papai diz. "David, tem espaço suficiente no freezer? Eu não sabia o tamanho do seu freezer." "Mamãe, espaço é o que não falta", respondo em tom de brincadeira. Mas, quando abro a geladeira, ela geme como se sua garganta houvesse sido cortada. "Uma coisinha aqui e outra ali, isso é tudo?", ela exclama.

"Olhe esse limão, parece mais velho do que eu. Como é que você come?" "Quase sempre fora." "E seu pai disse que eu estava exagerando." "Você tem estado cansada", ele lhe disse, "e estava mesmo exagerando." "Eu sabia que ele não estava se cuidando", ela insiste. "Você é que precisa se cuidar", papai responde. "Que que há?", pergunto, "o que é que há com você, mamãe?" "Tive um pouco de pleurisia e seu pai está fazendo a maior onda sobre isso. Sinto uma dorzinha quando faço tricô por muito tempo. É tudo que sobrou de um dinheirão jogado fora com médicos e exames."

Ela não sabe — nem eu, até que papai vai comigo na manhã seguinte comprar o jornal e algumas coisas para o café da manhã, após o que caminhamos sombriamente na direção da West End Avenue onde Larry e Sylvia nos hospedavam — que está morrendo de um câncer que se espalhou a partir do pâncreas. Isso me faz entender por que ele havia dito em sua carta: "Talvez pudéssemos ficar com você desta vez...". Será que explica também o pedido dela de voltar a locais que não visita há décadas? Quase acredito que ela sabe exatamente o que está ocorrendo, e sua demonstração de exuberância se destina a poupá-lo de saber que ela sabe. Cada qual protegendo o outro da verdade horrível — meus pais como duas crianças corajosas e indefesas... E o que eu posso fazer? "Mas morrendo — *quando?*", pergunto enquanto tomávamos o caminho de volta, ambos aos prantos. Por alguns segundos, ele não consegue responder. "Isso é o pior de tudo", se esforça enfim para dizer. "Cinco semanas, cinco meses, cinco anos — cinco *minutos*. Cada médico fala uma coisa!"

E de volta ao apartamento ela me pergunta de novo: "Você nos leva a Greenwich Village? Nos leva ao Metropolitan Museum of Art? Quando eu trabalhei para o sr. Clark, uma das meninas costumava comer macarrões verdes deliciosos num restaurante italiano de Greenwich Village. Queria tanto lembrar o nome! Não seria Tony's, não, Abe?". "Minha querida", responde papai, sua voz já com um toque de dor, "ele nem deve estar mais lá depois de todo esse tempo." "Podíamos procurar — e se ainda estiver lá?", ela diz, voltando-se entusiasmada em minha direção. "Ah, David, como o sr. Clark adorava o Museu! Todos os domingos, quando seus filhos estavam crescendo, ele os levava lá para verem os quadros."

Vou com eles a todos os lugares, ver os famosos Rembrandts no Metropolitan, procurar o Tony's que servia macarrões verdes, visitar os amigos mais antigos e mais queridos, alguns dos quais fazia mais de quinze anos que eu não via, mas que me beijam e abraçam como se eu ainda fosse uma criança, e então, porque sou um professor, me fazem perguntas sérias sobre a situação mundial; vamos, como antigamente, ao zoológico e ao planetário, terminando numa peregrinação ao edifício onde ela trabalhara como secretária especializada em assuntos legais. Depois de um almoço em Chinatown, nos postamos na esquina da Broad Street com a Wall Street numa tarde gélida de domingo, e como sempre, com total inocência, ela relembra seu tempo na firma. E fico pensando como as coisas seriam diferentes para ela caso houvesse permanecido o resto da vida como uma das secretárias do sr. Clark, uma dessas solteironas virgens que adoram o patrão paternal e fazem o papel de tias dos filhos deles nos feriados. Sem as intermináveis exigências de um hotel de turismo administrado pela família, ela talvez tivesse gozado de alguma serenidade, talvez houvesse vivido em harmonia com seus dons simples de ordem e limpeza em vez de ter sido escravizada por eles. Por outro lado, nunca teria conhecido papai ou a mim — nós nunca teríamos existido. Se ao menos, se ao menos... Se ao menos o quê? Ela está com câncer.

Eles dormem na cama de casal do quarto, enquanto eu, coberto com um lençol, fico acordado no sofá da sala. Mamãe está prestes a desaparecer — é disso que se trata. E sua última lembrança do filho único será aquela existência insignificante, sem raízes — sua última lembrança será daquele limão com o qual eu vivo! Ah, com que repugnância e remorso me recordo da série de erros — não, do erro habitual e recorrente — que fez desses dois aposentos meu lar. Em vez de sermos inimigos, de fornecer um ao outro o inimigo *ideal*, por que será que Helen e eu não pudemos aplicar todo aquele esforço para nos dar prazer, para criarmos uma convivência estável e dedicada? Será que isso era tão difícil para duas pessoas de personalidade forte? Será que eu devia ter dito logo no começo: "Olhe, vamos ter um filho"? Deitado na sala e ouvindo minha mãe respirar pelas últimas vezes, tento incutir em mim uma nova resolução: eu devo acabar, eu *irei* acabar com esta vida sem propósito, sem sentido... e, surpreendentemente, me vem a imagem de Elisabeth com o medalhão preso ao pescoço e o braço curado da fratura. Como ela seria doce e generosa com meu pai recém-enviuvado! Mas sem Elisabeth o que posso fazer por ele? Como sobreviverá lá em cima sozinho? Ah, por que é preciso haver Helen e Birgitta num extremo e, no outro, a vida com um limão?

À medida que os minutos de insônia vão passando — ou, melhor dizendo, dão a impressão de não passar —, uma legião de pensamentos angustiantes parece se amalgamar numa palavra sem sentido e não identificada, da qual não consigo me livrar. A fim de escapar dessa insípida escravidão, começo a me sacudir para um lado e para o outro no sofá. Sinto-me como se estivesse parcialmente anestesiado — mais uma vez imerso nas agonias claustrofóbicas da sala de recuperação onde estive pela última vez com doze anos após a operação de apêndice —, até que por fim o mundo se reduz a nada mais que a fileira de teclas, lidas da esquerda para a direita, em que mamãe me ensinou a encostar a ponta dos dedos quando aprendi a escrever à máquina na Remington Noiseless do hotel. Mas agora que conheço a origem daquela sucessão alfabética familiar, tudo se torna ainda pior. Como se, afinal de contas, fosse mesmo uma palavra, e uma palavra que contém em suas sílabas impronunciáveis toda a dor da energia frustrada e da vida frenética de mamãe. De repente me vejo brigando com papai por conta do epitáfio dela, nós dois nos empurrando contra pedras enormes, enquanto insisto com o marmorista que ASDFGHJKL deve ser talhado sob seu nome na lápide.

Não consigo dormir. Me pergunto se será possível que nunca volte a dormir. Todos os meus pensamentos são simples ou loucos, e após algum tempo não sei distinguir uns dos outros. Quero ir para o quarto e deitar na cama com eles. Ensaio mentalmente como vou fazê-lo. Para superar de forma suave a timidez inicial deles, sentarei primeiro na beira da cama e conversarei calmamente sobre nossos melhores momentos do passado. Olhando para seus rostos familiares lado a lado sobre os travesseiros, com as fronhas limpas e as cobertas puxadas até o queixo, vou lembrá-los de quanto tempo passou desde que nos aconchegamos debaixo de um único cobertor. Não foi no chalé alugado nas cercanias do Lake Placid? Lembram como o quarto era pequeno? Foi em 1940 ou 41? E, me corrijam se eu estiver errado, papai não pagou só um dólar pela noite? Mamãe achou que seria bom para mim conhecer Thousand Islands e Niagara Falls durante minhas férias da Páscoa. É para lá que íamos em nosso Dodge. Você se lembra que nos contou que o sr. Clark levava os filhos todos os verões para visitar a Europa? Lembra de todas aquelas coisas que me contou que eu nunca tinha ouvido antes? Meu Deus, lembra de mim e de vocês dois no pequeno Dodge antes da guerra... E quando eles estiverem sorrindo, vou tirar meu roupão e me enfiar na cama entre os dois. Assim, antes que ela morra, nós todos ficaremos abraçados durante uma noite e uma manhã. Quem saberá, além de Klinger, e por que devo me importar com o que ele ou qualquer outra pessoa pense sobre isso?

Por volta da meia-noite, a campainha soa. Na quitinete, aperto o botão do interfone e pergunto: "Quem é?".

"O encanador, belezinha. Na última vez que chamei, você tinha saído. Como está o vazamento, já consertou?"

Não respondo. Papai aparece na sala vestindo o roupão. "Algum conhecido seu? A essa hora?"

"É um palhaço", respondo, enquanto a campainha volta a soar com insistência.

"O que está acontecendo?", minha mãe pergunta do quarto.

"Nada, mamãe. Trate de dormir."

Decido falar no interfone pela última vez. "Pare com isso ou vou chamar a polícia."

"Pode chamar. Não estou fazendo nada ilegal, garotinho. Por que você simplesmente não me deixa subir? Não sou só mauzinho. Sou malvado mesmo."

Papai, de pé ao meu lado e ouvindo o que ele diz, empalidece visivelmente.

"Papai", eu digo, "vá dormir. É só uma dessas coisas que acontecem em Nova York. Não é nada."

"Ele te conhece?"

"Não."

"Então como é que quer subir? Por que ele está falando desse jeito?"

Uma pausa antes que a campainha volte a soar.

Agora totalmente irritado, respondo: "Por que estou alugando o apartamento de um homossexual e, até onde estou entendendo, eles são amigos".

"Um judeu?"

"O que me alugou o apartamento? Sim, ele é judeu."

"Meu Deus", papai exclama, "o que é que há com um sujeito desses?"

"Acho que vou precisar ir lá embaixo."

"Sozinho?"

"Não tem problema."

"Não seja louco; dois é melhor do que um. Vou com você."

"Papai, não é preciso."

Mamãe pergunta do quarto: "O que houve agora?".

"Nada", papai responde. "A campainha está enguiçada. Vamos lá embaixo consertar."

"A essa hora?"

"Voltamos num minuto", papai diz a ela. "Não saia da cama." Para mim, num sussurro: "Você tem algum pedaço de pau, um bastão de beisebol ou alguma coisa assim?".

"Não, não..."

"E se ele estiver armado? Tem um guarda-chuva pelo menos?"

Nesse meio-tempo a campainha parou de tocar. "Vai ver ele foi embora", eu digo.

Papai escuta.

"Foi embora", repito, "não está mais lá."

Papai, no entanto, não tem a menor intenção de voltar para a cama agora. Fecha a porta do quarto de dormir — "Fique tranquila", ele fala baixinho para mamãe, "está tudo bem, vá dormir." — e vem se sentar diante do sofá. Percebo como respira com dificuldade ao se preparar para falar. Também não estou nem um pouco relaxado. Recostado tensamente no travesseiro, espero que a campainha volte a soar.

"Você não está envolvido", ele diz, limpando a garganta, "com alguma coisa que queira me contar..."

"Não seja bobo."

"Porque você nos deixou, Davey, quando tinha dezessete anos, e desde então não houve como evitar as influências que vem sofrendo."

"Papai, não estou sofrendo nenhuma 'influência'."

"Queria te fazer uma pergunta. Direta."

"Vá em frente."

"Não é sobre a Helen. Nunca te perguntei sobre isso, e não quero começar agora. Sempre a tratei como nora. Não é verdade que eu e sua mãe sempre a tratamos com respeito..."

"Sem a menor dúvida."

"Tratei de calar a boca. Não queríamos que ela se voltasse contra nós. Ela até hoje não pode ter nada contra nós. Levando tudo em consideração, acho que tivemos um comportamento excelente. Sou uma pessoa liberal, meu filho — e, em matéria de política, mais do que liberal. Você sabe que em 1924 votei em Norman Thomas para governador de Nova York, na primeira vez que votei? E em 1948 votei em Henry Wallace, o que talvez tenha sido um gesto vazio e um erro, mas o ponto é que eu fui provavelmente o único dono de hotel no país inteiro que votou em alguém que todo mundo chamava de comunista. Coisa que ele não era, mas o importante é que nunca fui um homem conservador, nunca. Você sabe — e, se não sabe, devia saber — que o que me chateou não foi ela ser uma *shiksa*. As *shiksas* são um fato da vida e não vão desaparecer só porque os pais judeus preferiam que isso acontecesse. E por que deveriam desaparecer? Acredito que todas as raças e religiões podem viver em harmonia, e o fato de você se casar com uma gói nunca foi um problema para sua mãe e para mim. Acho que tivemos um comportamento excelente com relação a isso. Mas não quer dizer que eu tolerasse outras coisas dela e suas atitudes. A verdade, se é que você quer saber, é que não tive uma única noite de sono tranquilo nos três anos em que vocês ficaram casados."

"Bom, eu também não."

"É mesmo? Então por que diabo você não se mandou logo? Por que foi se meter naquela confusão de merda?"

"Você quer que eu entre nesse terreno, quer?"

"Não, não, você tem razão, que se dane tudo aquilo. No que me diz respeito, nunca mais quero ouvir falar no nome dela. É só você que me interessa."

"O que você quer perguntar?"

"David, o que é esse Tofrinal que eu vi no armário de remédios, um frasco enorme? Por que você está tomando esse remédio?"

"É um antidepressivo. Tofranil."

Ele deixa escapar um silvo. Repugnância, frustração, descrença, desprezo. Devo ter ouvido ele emitir aquele som faz uns cem anos, quando precisou despedir um garçom que urinava na cama e empesteou o sótão onde dormiam os empregados. "E por que você precisa disso? Quem te disse para tomar um troço desses, para botar isso nas suas veias?"

"Um psiquiatra."

"Você se consulta com um psiquiatra?"

"Consulto."

"*Por quê?*", ele exclama.

"Para me manter à tona. Para entender as coisas. Para ter alguém com quem falar... confidencialmente."

"Por que não conversa com uma *esposa*? É para isso que servem as esposas! E que dessa vez seja uma esposa *de verdade*, não alguém que deve ter gastado todo o seu salário de professor nos salões de beleza. Está tudo errado, meu filho! Isso não é maneira de viver! Um psiquiatra, e tomar remédios fortes, e gente aparecendo a qualquer hora... gente que não é nem gente..."

"Não há nenhum motivo de preocupação."

"Há *todos* os motivos de preocupação."

"Não, não...", eu digo, baixando a voz. "Papai, só há mamãe..."

Ele cobre os olhos com a mão e começa a chorar sem fazer nenhum ruído. Com a outra mão fechada acena para mim. "É isso que tive de ser toda a minha vida! *Sem* psiquiatras, *sem* pílulas da felicidade! Fui um homem que nunca entregou os pontos!"

E, mais uma vez, soa a campainha.

"Esqueça. Deixe tocar. Papai, ele vai embora."

"Para voltar depois? Vou quebrar a cara dele e, acredite em mim, aí nunca mais volta!"

Neste momento, a porta do quarto se abre e mamãe aparece com sua camisola de dormir. "Vai quebrar a cara de quem?"

"Uma bicha nojenta que está incomodando o Davey!"

Outra vez a campainha: dois toques longos, um curto; dois longos, um curto. Wally está de porre.

Mamãe, tão mirradinha e agora com os olhos marejados de lágrimas, pergunta: "E ele faz isso com frequência?".

"Não muito."

"Mas... por que você não o denuncia?"

"Porque, quando a polícia chegar, ele já terá ido embora. Não se deve envolver a polícia nesse tipo de coisa."

"E jura", diz papai, "que não é ninguém que você conhece?"

"Juro."

Mamãe entra na sala de visita e senta ao meu lado. Pega minha mão e a aperta. Nós três — mãe, pai e filho — ficamos ouvindo a campainha.

"Sabe o que daria jeito nesse filho da mãe de uma vez por todas?", papai pergunta. "Água fervendo."

"*Abe*!", mamãe exclama.

"Mas ia fazer ele saber onde não é o seu lugar!"

"Papai, não se preocupe tanto com isso."

"E você não se preocupe tão pouco! Por que anda com esse tipo de gente?"

"Mas eu não ando."

"Então por que vive num lugar como este, onde eles aparecem e te criam problemas? Você ainda precisa de mais problemas?"

"Se acalme, por favor", diz mamãe. "Não é culpa *dele* se um tarado toca a campainha. Isto aqui é Nova York. Ele te disse. Essas coisas acontecem por aqui." "Isso não significa que a pessoa deva ficar desprotegida, Belle!" Saltando da cadeira, papai corre para o interfone. "Ei, você!", ele grita. "Pare com isso! Sou o pai de David..." Afagando o braço dela — já esquelético —, sussurro: "Está tudo bem, tudo certo, ele não sabe mexer no aparelho. Não se preocupe, mamãe, por favor, o sujeito nem o está ouvindo".

"... se quiser ficar com uma queimadura de terceiro grau, vamos cuidar disso para você! Faça o que bem entender numa sarjeta qualquer, mas, se sabe o que é bom para a sua saúde, não chegue perto do meu filho!"

Dois meses mais tarde, minha mãe morre no hospital de Kingston. Depois que todas as pessoas presentes ao enterro vão embora, papai insiste em que eu leve a comida que ela havia congelado para mim no mês anterior, as últimas coisas que cozinhou na vida. Pergunto: "E o que é que *você* vai comer?". "Fui um cozinheiro à minuta antes mesmo de você nascer. Leve isso. Leve o que ela preparou para você." "Papai, como é que você vai viver aqui sozinho? Como é que vai dar conta de tudo na estação de turismo? Por que enxotou todo mundo? Não seja tão corajoso. Não pode ficar aqui em cima sozinho." "Posso me cuidar muito bem. A partida dela não foi inesperada. Por favor, leve isso. Leve tudo. É o que ela queria. Dizia que, sempre que lembrava do que viu na sua geladeira, entrava em pânico. Cozinhou para você", ele disse, a voz trêmula, "e então se foi." Começou a soluçar. Passei os braços em volta de seus ombros. "Ninguém a entendia", ele continuou, "os hóspedes, nunca, *nunca*. Ela era uma boa pessoa, Davey. Quando moça, se entusiasmava por tudo, até pelas coisinhas mais simples. Só ficava nervosa quando o verão começava a ficar caótico e fora de controle. Por isso zombavam dela. Mas você se lembra dos invernos? A paz, o silêncio? Como nos divertíamos? Lembra das cartas escritas de noite?" Essas palavras me derrubam: pela primeira vez desde a morte dela, na manhã anterior, caio no choro. "Claro que lembro, lembro sim." "Ah, meu filho, era quando ela se sentia bem. Mas quem sabia disso?" "Nós sabíamos", lhe respondo, porém ele repete, com um soluço raivoso: "Mas quem sabia disso?". Ele leva até meu carro as comidas congeladas numa sacola de compras. "Aqui está, por favor, pela memória dela." E assim retorno a Nova York com meia dúzia de recipientes, cada qual com o mesmo rótulo datilografado: "Língua com o famoso molho de passas da vovó — 2 porções".

Uma semana depois, volto lá, dessa vez na companhia do tio Larry, a fim de levar papai para Cedarhurst, onde ele ficará com o irmão e a cunhada. Porém só temporariamente, ele diz enquanto botamos sua mala no carro, só até se recuperar do choque. Dentro de alguns dias tem certeza de que voltará a ser o mesmo de sempre. Precisa ser, não há alternativa. "Trabalho desde os meus catorze anos. A gente não se entrega a uma coisa dessas", diz. "Aperta o cinto e segue em frente." Além disso, estamos no inverno, e há sempre risco de incêndio lá em cima. Sim, o faz-tudo e sua mulher vão tomar conta das instalações, mas isso não é garantia de que o hotel não vá pegar fogo na ausência dele.

A verdade é que dezenas de incêndios misteriosos ocorreram em hotéis e pensões abandonados desde que a região saiu de moda como local de veraneio da comunidade judaica por volta da época em que fui para a universidade. No entanto, como ele e mamãe, mesmo em anos recentes, tinham sido capazes de segurar um resto da clientela cada vez mais velha e manter o prédio principal aberto e o terreno decentemente cuidado, os incendiários até então não haviam lhe parecido uma ameaça real. Agora, porém, enquanto descíamos pela autoestrada, ele não conseguia pensar em outra coisa. Recita para mim e meu tio os nomes dos desocupados da região — "Homens entre trinta e quarenta anos!" — que sempre suspeitou serem os causadores dos incêndios. "Não, não", responde quando meu tio oferece sua análise-padrão da causa da violência, "nem antissemitas eles são. Estúpidos demais até para isso! Simplesmente são uns loucos, uns débeis mentais que deviam é estar num hospício. Gostam de ver as chamas! E, quando só restarem as cinzas, sabe a quem eles vão acusar? Já vi isso acontecer dezenas de vezes. A mim! Vão dizer que fiz aquilo para receber o dinheiro do seguro! Porque minha mulher morreu e eu quero sair do negócio! A culpa vai ser jogada em cima do meu bom nome! E sabe quem eu também acho que faz isso? Os próprios bombeiros voluntários! Sim, para eles poderem sair no meio da noite pela montanha, com seus carros de bombeiros, suas botas e capacetes!"

Mesmo depois de confortavelmente instalado no quarto que costumava ser de Lorraine, não há como serenar seu temor pelo império que havia construído com suor e sangue. Todas as noites em que lhe telefono, diz que não consegue dormir de tão preocupado com um incêndio. E agora também há outras coisas com que se preocupar. "Aquele bicha nunca mais voltou, não é?" "Não", respondo, sabendo que é melhor mentir. "Viu, valeu a pena ameaçá-lo. Infelizmente é a única coisa que muita gente entende, um punho fechado", diz papai, que nunca na vida bateu em ninguém. "E como vão o tio Larry e a tia Sylvia?", pergunto. "Ótimos. Não podiam ser mais carinhosos. Dizem o tempo todo para eu ficar mais." "Muito bem, isso é tranquilizador." Porém, segundo ele me diz, mais uns dez dias e o pior da crise de estar sem ela terá passado. Tem que ter passado. Ele precisa voltar enquanto a porra do hotel ainda está inteiro!

E então são mais cinco dias, e outros cinco dias, até que por fim, após uma volta de carro comigo carregada de muita emoção, meu pai concorda em pôr à venda o Hungarian Royale. Cobrindo o rosto com as mãos, ele diz: "Mas eu nunca entreguei os pontos na minha vida". "Você não tem nada que se envergonhar, papai. As coisas simplesmente mudaram." "Mas eu não entrego os pontos", ele exclama. "Ninguém vai entender assim", eu digo, e o levo de volta para a casa do irmão.

Durante essa época, raramente passo uma noite sem pensar na garota que conheci por apenas dois meses, quando eu era um prodígio sexual de vinte e dois anos, a garota que usava um medalhão preso ao pescoço com a fotografia do pai. Sinto vontade até de lhe escrever, aos cuidados de seus pais. Chego a me levantar da cama e procuro em meus papéis o endereço em Estocolmo. Mas a essa altura Elisabeth sem dúvida deve estar casada, com dois ou três filhos, e não pensa em mim. Nenhuma mulher viva pensa em mim, certamente não com amor.

Embora o chefe de meu departamento, Arthur Schonbrunn, seja um homem de meia-idade bonito e requintadamente elegante, dotado de um charme inquebrantável e grande meticulosidade — o ser social mais hábil e agradável que conheci —, sua mulher, Deborah, nunca me entusiasmou muito, mesmo quando eu era o aluno graduado predileto de Arthur e ela com frequência me recebia em sua casa de forma afetuosa e hospitaleira. Naqueles primeiros anos em Stanford, eu realmente costumava passar um bom tempo tentando entender o que unia um homem tão escrupuloso em matéria de amenidades, tão incansavelmente preocupado em se opor, por questão de princípio, aos crescentes ataques políticos contra o currículo universitário — o que unia um homem consciencioso a uma mulher cuja performance pública predileta consistia em desempenhar o papel da senhora avoada, cujo encanto reside em sua "candura" estouvada e impudente. Na primeira vez em que fui convidado a jantar na casa deles, lembro-me de haver pensado ao final da conversa (dominada pela algaravia coquete e chocante de Deborah): "Seguramente esse é o homem mais solitário do mundo". Como fiquei atormentado e desapontado, com vinte e três anos, diante dessa primeira visão da vida doméstica de um professor que era como um pai para mim... para ouvir de Arthur no dia seguinte comentários sobre o "maravilhoso poder de observação" de sua mulher, sobre o "dom" que ela tinha de "ir ao âmago da questão". E, nessa mesma linha, lembro de outra noite, anos depois, em que Arthur e eu trabalhávamos até tarde em nossos escritórios — quer dizer, Arthur trabalhava, enquanto eu permanecia imóvel diante da minha mesa, como sempre desnorteado com o impasse de desamor a que Helen e eu havíamos chegado sem possuirmos a força ou a coragem para resolvê-lo. Quando Arthur me viu com uma aparência ainda mais apática que de hábito, entrou na minha sala e até as três da manhã fez o possível para me proteger dos tipos mais loucos de solução que poderiam invadir a cabeça de um marido terrivelmente infeliz e com dificuldade de voltar para casa. Lembrou-me várias vezes como minha tese havia sido brilhante. O fundamental agora era eu retomar a revisão para publicá-la em forma de livro. Na verdade, muito do que Arthur falou nessa noite se assemelhava ao que o dr. Klinger posteriormente diria sobre mim, sobre meu trabalho e sobre Helen. E eu, do meu lado, desfiei minhas queixas, tendo em certo momento encostado o rosto na mesa e chorado. "Imaginei que era mesmo bem ruim", disse Arthur. "Nós dois imaginamos, mas, por mais que gostemos de você, nunca achamos que cabia a nós dizer alguma coisa. Temos suficiente experiência para saber que mais cedo ou mais tarde tudo acaba vindo à tona entre amigos. Mesmo assim, houve dias em que tive vontade de te sacudir por ser tão idiota. Você não faz ideia de quantas vezes conversei com a Debbie sobre o que podia ser feito para salvá-lo de toda essa infelicidade. Nada nos incomodava mais do que lembrar como você era ao chegar aqui, e depois ver o que aconteceu quando se juntou a ela. Mas eu não podia fazer nada, David, a menos que você me procurasse — e isso não é do seu feitio. Você é alguém que só se abre até certo ponto com os amigos, e não vai adiante, motivo pelo qual é muito mais solitário do que outras pessoas. Eu não sou muito diferente de você."

Próximo ao fim de sua vigília — e pela primeira vez desde que nos conhecemos —, Arthur falou sobre sua vida particular quase como se fôssemos homens da mesma idade e posição acadêmica. Quando tinha uns vinte e poucos anos e lecionava em Minnesota, ele também se envolvera com "uma mulher tremendamente neurótica e destrutiva". Brigas públicas e escandalosas, dois abortos angustiantes, um desespero tão imenso que ele chegou a pensar que o suicídio era a única forma de escapar da confusão e da dor. Mostrou-me a pequena cicatriz na mão onde aquela louca e patética bibliotecária, que ele não suportava mas de quem não conseguia se separar, o havia espetado com um garfo no café da manhã... E, enquanto Arthur tentava me dar esperança (e orientação) ao comparar seu próprio infortúnio anterior — e a recuperação subsequente — com minha experiência atual, eu só queria dizer: "Mas como você ousa falar isso? Como definiria o que tem hoje? Debbie é tão *medíocre*; de uma espontaneidade tão artificial; de uma candura tão grosseiramente exibicionista; imprevisível para os visitantes, diabólica para o maridinho — Arthur, nada disso tem o menor sentido, um comportamento audacioso sem arriscar nada! Enquanto Helen... Meu Deus, Helen é cem vezes, mil vezes...". Porém, naturalmente, não alcancei tais níveis elevados de indignação moral, não pronunciei uma única palavra tola acerca da falsidade e da superficialidade de sua mulher quando cotejada com a integridade, a inteligência, o charme, a beleza e a coragem da minha: afinal de contas, se ele devotava uma afeição excessiva à sua cara-metade, sem dúvida naquela noite eram meus os sonhos de uxoricídio.

Esse cavalheirismo de Arthur seria objeto de pena ou inveja? Será que meu antigo mentor e atual benfeitor tem um quê de mentiroso, um quê de masoquista? Ou apenas está apaixonado? Ou será que Debbie, com seu jeito travesso algo desmedido e a aparência bonita mas um pouco desleixada, representa o toque de falta de decoro que torna suportável uma vida asfixiantemente impoluta?

"Vulvaridade" é o diagnóstico de Ralph Baumgarten, nosso poeta em residência, e "amantes da vulvaridade" — a classe de maridos na qual o versejador solteiro enquadra Arthur Schonbrunn — são aqueles que se sujeitam servilmente a padrões de boas maneiras e respeitabilidade que, no entender de Baumgarten, foram estabelecidos por gerações de mulheres a fim de desarmar e domesticar os homens. Domesticação à qual o poeta claramente não se submete. Tendo a concordar com Baumgarten que ele será dispensado após o término de seu contrato tanto por causa da atitude decididamente desrespeitosa que demonstra para com o sexo oposto como por suas predileções sexuais em geral. No entanto, se por conta de seu comportamento ele atraiu o desprezo de alguns colegas e suas esposas, isso não o tornou menos desabrido com aquilo de que gosta e como gosta. Para ele, a notoriedade parece constituir boa parte da diversão. "Peguei uma garota no Modern Museum e, na saída, encontramos seus amiguinhos, Kepesh. A Debbie levou a garota para o banheiro a fim de extrair dela tudo que podia sobre mim, e Arthur, em meio aos gracejos de praxe, perguntou há quanto tempo eu e Rita éramos amigos. Respondi que há cerca de uma hora e meia. Disse-lhe que estávamos saindo porque o museu não oferecia nenhum cantinho confortável onde pudéssemos fazer um meia-nove. Perguntei então o que ele achava da bundinha gostosa de Rita e ele não comentou nada. Em vez disso, me deu uma lição de moral sobre a compaixão."

Não há dúvida de que Baumgarten lança uma rede enorme para pegar seus lambaris. Quando caminhamos pelas ruas de Nova York, raramente passa uma mulher com menos de cinquenta ou mais de quinze anos sem que ele tente obter alguma informação que faz parecer absolutamente vital para sua sobrevivência. "Poxa, que beleza de casaco!", diz, abrindo um enorme sorriso para a jovem que, vestida num casaco de pele vagabundo, empurra um carrinho de bebê. "Ah, obrigada." "Posso perguntar de que pele de animal ele é feito? Nunca vi um assim antes." "Este? É de pele artificial." "*Jura?*" Em pouco tempo, ele está à beira do assombro (por sinal não de todo fingido) ao saber que aquela mulher ainda tão jovem vestindo casaco de pele artificial já se divorciou, é mãe de três crianças pequenas e abandonou os estudos numa universidade situada a mais de três mil quilômetros dali. "Ouviu isso, Dave? Essa aqui é a Alice. Alice nasceu em Montana — e está aqui empurrando um carrinho de bebê em plena Nova York!" E, tanto quanto Baumgarten, a jovem mãe parece agora ela própria um tanto surpresa de ter vencido tamanha distância em apenas vinte e quatro anos.

O sucesso com estranhos, Baumgarten me informa, consiste em nunca lhes fazer uma pergunta que não possa ser respondida sem pensar, e então prestar toda a atenção na resposta, por mais trivial que seja. "Lembre-se de quando representava o papel de James, Kepesh, e dramatize, dramatize. Faça as pessoas entenderem que o que elas são, de onde vêm e o que estão usando é *interessante*. De certo modo, até mesmo *importante*. *Isso* é compaixão. E, por favor, nada de ironias, está bem? O problema é que você afasta as pessoas com sua extraordinária atração pela complexidade das coisas. Minha experiência é que as mulheres que encontramos na rua não são chegadas a uma ironia. Na verdade, ficam danadas com qualquer ironia. Querem atenção. Querem ser apreciadas. Certamente não desejam entrar numa competição de inteligência com você, garotão. Guarde toda essa sutileza para seus ensaios críticos. Quando for para a rua, trate de se *abrir*. É para isso que as ruas servem."

Durante meus primeiros meses na universidade, descubro que, quando o nome de Baumgarten é mencionado nas reuniões do círculo de professores, há sempre alguém que não suporta nem vê-lo e está mais do que pronto a dizer por quê. Debbie Schonbrunn sustenta que o "pavor residente" seria cômico se não fosse tão — a palavra é uma das preferidas dela e de Arthur — "destrutivo". Naturalmente, eu não preciso dizer nada em resposta, bastaria tomar meu drinque e voltar a Nova York. "Ah, ele não é tão mau assim", digo a ela. "Na verdade", acrescento, "até gosto dele." "E o que você vê nele para gostar?" Vá para casa, Kepesh. Seu lugar é naquele apartamento vazio; entre esta discussão predizível e aqueles aposentos afrescalhados, não há dúvida de onde você estará melhor. "O que ele tem para se *desgostar* tanto dele?", retruco. "Por onde devo começar?", diz Deborah. "Para início de conversa, seu desprezo pelas mulheres. Ele é um conquistador barato, sem a menor consciência. Odeia as mulheres." "Pois eu acho que ele gosta delas um bocado." "David, você está sendo insincero e do contra, até mesmo um pouco hostil, e não consigo entender por quê. Ralph Baumgarten é um horror, assim como sua poesia. Nunca li nada tão desprovido de calor humano em toda a minha vida. Leia o primeiro livro dele e veja você mesmo o quanto ele gosta das mulheres." "Bem, ainda não li nada dele" — mentira — "mas almoçamos algumas vezes. Tanto quanto eu possa ver, ele não é tão censurável. Quem sabe, Deborah, a poesia não retrata o verdadeiro homem?" "Ah, retrata sim: os versos são maldosos, presunçosos, arrogantes e realmente bem idiotas. E que dizer do 'homem'? Aquele jeito de andar *deslizante*; aqueles uniformes do Exército; aquela cara — na verdade ele não tem uma cara, não é? Só aqueles olhos mortiços e um esgar de riso grosseiro. O mistério é como alguma garota possa até mesmo chegar perto dele." "É, ele deve ter alguma coisa a mais." "Ou *elas* têm alguma coisa a menos. Ora, você tem uma elegância inata e ele é uma ave de rapina até nas garras. Por que quer se associar minimamente a ele..." "Me dou bem com ele", digo, sacudindo os ombros, e só agora termino o drinque a fim de tomar o caminho de casa.

Em breve fico sabendo o que os poderes de observação de Debbie descobriram durante nossa conversa. É sem dúvida o que eu devia haver esperado, e provavelmente o que mereço. Assim, a única surpresa é a minha surpresa — isso e a vulnerabilidade.

Durante um jantar na casa dos Schonbrunn, a anfitriã anunciou a todos os convivas que Baumgarten se tornara o *"alter ego"* de David Kepesh, "realizando as fantasias de agressão às mulheres" que ele passou a ter por causa de seu casamento e da maneira "angustiante" como tudo havia terminado. O fim "angustiante" em Hong Kong — a cocaína, os policiais, os arranjos —, bem como alguns pormenores do começo e do meio, foram então narrados para conhecimento de todos. Soube disso por um homem muito simpático, presente ao jantar, que não faz parte da história e imaginou que me fazia um favor.

Seguiu-se uma troca de correspondência. Iniciada por mim e, infelizmente, por mim também perpetuada.

Cara Debbie,

Fui informado de que, na semana passada, você falou de modo bastante desenvolto sobre meus assuntos particulares num jantar — a saber, meu casamento, minhas aflições e aquilo que descreveu como minhas "fantasias de agressão contra as mulheres". Como você poderia conhecer minhas fantasias? E por que eu e Helen deve-ríamos ser assunto de conversa num jantar em que a maioria dos presentes nem me conhece? Em nome da amizade que tenho por Arthur há muito tempo, e que tivemos a oportunidade de reforçar recentemente, espero que você se abstenha no futuro de discutir com pessoas de todo estranhas minhas fantasias de agressão e minha história angustiante. De outro modo, será difícil me abrir com Arthur e, naturalmente, com você.

Sinceramente,
David

Caro David,

Peço desculpas por haver falado o que não devia com pessoas que não o conhecem, o que não se repetirá. Mas eu ficaria muitíssimo grata se você me dissesse o nome do filho ou da filha da mãe que te contou isso, quando nada para que ele ou ela não volte a comer minha costeleta de cordeiro!

Para amenizar seu sofrimento, devo dizer que, primeiro, seu nome só foi mencionado en passant, porque, felizmente, você não foi o único assunto de conversa durante a noite; segundo, acho que você tem toda a razão de guardar tanto rancor de Helen; e, terceiro, não é tão estranho ou vergonhoso que sua raiva de Helen o faça se associar, no momento, com um homem que maltrata as mulheres como uma ave de rapina. Mas, se você vê a amizade com ele de um modo e eu de outro, considero isso perfeitamente natural — e imagino que você deveria achar o mesmo.

Por fim, se falei de modo indevido sobre a Helen aos meus convidados, provavelmente é porque, lá em Stanford, ela era, como você sabe muito bem, bastante exibida e, dessa forma, um tópico predileto de conversa para muita gente, inclusive seus amigos. E você próprio não se recusava a conversar conosco sobre ela quando Arthur o levava à nossa casa.

Mas, querido David, chega desse assunto. Você poderia vir jantar conosco? Que tal essa sexta? Venha sozinho ou, se quiser, traga alguém (com exceção do visigodo). Se trouxer uma garota, prometo que não direi uma palavra sobre sua misoginia desde que chegou aqui.

Beijo,
Debbie

P.S.: Daria tudo para saber o nome do rato que me delatou.

Cara Debbie,

Não posso dizer que sua resposta me soou satisfatória. Você dá a impressão de não perceber o quão indiscreta foi sobre o que sabe e sobre o que imagina saber sobre mim. Sem dúvida, o fato de eu ter feito algumas confidências a Arthur e ele as ter compartilhado com você não pode me ser oferecido como atenuante. Você compreende por quê? Também não entendo como possa desconhecer que meu casamento ainda é algo doloroso para mim, e a dor não diminui quando tomo conhecimento de que o assunto foi discutido como uma novela qualquer por pessoas com quem certa vez desabafei meus problemas.

O espírito com que sua carta foi escrita só tornou a situação pior para mim, e não vejo como poderia aceitar seu convite.

David

Querido David,

Lamento que tenha considerado minha carta insatisfatória. Na verdade, o tom foi propositadamente superficial, pois imaginei ser o que mais condizia com o que você considerou ser meu crime.

Será que você realmente me vê como uma megera decidida a macular sua reputação impoluta ou invadir sua privacidade com insinuações perniciosas e malévolas? É óbvio que sim, e naturalmente isso é monstruoso, mas o fato de você acreditar nisso não o torna uma verdade.

Pedi desculpas por haver falado indevidamente sobre você com estranhos porque sei que às vezes faço isso. Presumi que o que havia chegado a você fosse apenas isto — coisas bobas e inconsequentes. Tenho certeza de que não disse nada tão horrível que pudesse lhe causar algum sofrimento. Recordando suas próprias autoavaliações com relação às garotas — histórias de seus tempos de estudante, está lembrado? —, nunca imaginei que você se considerasse acima de qualquer censura. Devo admitir que nunca o vi como um santo em matéria de mulheres, mas também nunca achei que você se resumia a isso como pessoa. Gostei de você e me preocupei como amiga.

Devo dizer que ficaria muito triste se soubesse que você desancou seus amigos da Califórnia só por eles se mostrarem bastante "indiscretos" ao mencioná-lo numa conversa. E mencioná-lo não por indelicadeza, perversidade ou malícia, mas somente por saberem de tudo por que você passou.

Começo a pensar que sua carta me fez conhecer mais sobre você do que eu desejava.

Debbie

Caro David,

Debbie está respondendo à sua última carta, mas agora sinto-me obrigado a intervir.

Tenho para mim que, se não chegou a se prostrar abjetamente a seus pés, Debbie esforçou-se para se desculpar pelo que considerou uma justa reclamação. Ao mesmo tempo, ela tentou indicar, com um tom mais brincalhão, que o que ela havia feito não era tão sério quanto você parece crer. Concordo com ela pelo que conheço da situação, motivo pelo qual sua última carta, na qual adota um tom agressivo, irritadiço e superior, é mais seriamente deletéria do que qualquer coisa de que Deborah haja sido culpada. Aliás, não faço ideia do que você pensa que Deborah disse a seu respeito (alguma documentação teria ajudado aqui), porém posso lhe asse-

gurar que não passou de uma conversa de mesa de jantar de apenas alguns minutos e que não o difamou de modo algum. Suspeito que você tenha dito coisas muitos piores sobre ela em conversas incidentais (embora, presumivelmente, não diante de estranhos). Acredito que os amigos devam estar mais prontos a se perdoar por suas fraquezas ocasionais.

Sinceramente,
Arthur

Caro Arthur,

Não dá para assumir duas posições extremas: dizer que Debbie adotou um "tom mais brincalhão" (ou, segundo suas próprias palavras, "propositadamente superficial") porque isso expressava melhor a atitude dela para com o que me incomodou; e ao mesmo tempo dizer que o esforço que ela fez a deixou bem perto de uma prostração abjeta. A indiscrição de Debbie certamente era desculpável, como eu indiquei em minha primeira carta. Mas que ela continue não apenas se fazendo de desentendida como demonstrando tanta indiferença com relação a tudo isso é o que me faz considerar seu lapso como algo mais do que apenas um exemplo da "fraqueza ocasional" exibida por um amigo.

David

Caro David,

Hesitei antes de responder à sua última carta porque ela me deixou com muito pouco a dizer. Acho incrível que você possa até mesmo imaginar que Deborah tenha desejado lhe causar algum mal. É também incrível que você não consiga entender que, ao valorizar esse incidente como vem fazendo, está apenas confirmando a verdade da observação de Deborah acerca da natureza agressiva de sua atitude atual para com as mulheres. Em vez de se manter no ataque, por que não para e reflete por um momento sobre a razão

*pela qual recusou o pedido de desculpas que ela lhe fez por sua
falta de tato inicial? Por que prefere, em vez disso, ameaçar nossa
amizade a fim de castigá-la duramente por seu suposto deslize?*
A menos que eu me divorcie de Debbie e a ponha porta afora
vestida em farrapos, não sei o que posso fazer para restaurar nossas
relações de amizade. Ficaria grato em receber alguma sugestão.*

Sinceramente,
Arthur

É Klinger quem misericordiosamente pronuncia a fórmula
mágica que põe um ponto final em tudo isso. Conto a ele o que
tenciono dizer em minha próxima mensagem a Arthur — já datilografada numa segunda versão — sobre o nó corrediço freu-
diano com que ele agora deseja apertar meu pescoço. E ainda
me sinto magoado com seu pedido, numa carta anterior e posto
entre parênteses, de "alguma documentação". O que ele pensa
que nós somos, aluno e professor? Ainda um candidato a doutorado e um orientador de tese? Não lhe envio minhas cartas para
ele dar alguma nota! Pouco me importa se acham que lhes devo
gratidão — não vou permitir que digam que sou algo que não
sou! Não me deixarei ser difamado e diminuído pelas calúnias
neuróticas e descuidadas de Debbie! Nem admitirei que Helen
também seja difamada! "Fantasias de agressão"! Isso significa
apenas que eu não a suporto! E, aliás, por que ele não a põe
mesmo na rua vestida em farrapos? É uma ideia maravilhosa! Eu
o *respeitaria* se fizesse isso! Toda a comunidade o respeitaria!
Quando minha preleção diária chega ao fim, Klinger diz:
"Muito bem, ela faz fofocas sobre você... e quem é que dá
alguma atenção a essa merda?".
Uma frase curta, e de repente sinto vergonha e me vejo
como o tolo neurótico que eu sou. Tão rabugento! Ainda tão perdido! Sem foco, sem sentido — sem um único amigo! E só

criando inimigos! Minhas cartas raivosas ao Casal Devotado constituem a totalidade de meus escritos críticos desde que voltei para a costa leste, toda a concentração, força e sabedoria que consegui pôr no papel. Gasto noites inteiras reescrevendo as cartas para alcançar a desejada brevidade e o tom certo... enquanto meu livro sobre Tchékhov foi praticamente abandonado. Imagine... rascunhos e mais rascunhos, e de quê? De nada! Ah, doutor, tem alguma coisa de errado acontecendo comigo. Defendendo-me de Wally, lutando contra Debbie, agarrando-me às barras do seu avental para não afundar — ah, como posso transformar todo esse vazio num *verdadeiro* nada, em vez de ser tudo que tenho e tudo que faço?

Curiosamente, meu desentendimento com os Schonbrunn serve para fortalecer a amizade com Baumgarten, que até então não fora grande coisa — ou isso talvez nem seja tão curioso assim, tendo em vista os velhos elementos que lutam para se impor em minha nova vida (se é que isto pode ser chamado de vida). Obedecendo ao que entendo serem ordens do doutor, abandono a correspondência com os Schonbrunn — embora réplicas indignadas, réplicas *decisivas*, continuem a me oferecer animada companhia enquanto sigo pela autoestrada rumo à universidade todas as manhãs — e num fim de tarde, reagindo ao que então me pareceu um impulso inofensivo, paro no escritório de Baumgarten e o convido para tomar um café. Na noite do domingo seguinte, quando volto da visita a meu pai e descubro que, na escala da solidão, estou muito próximo de cem (ali bem pertinho de papai), diminuo a chama do fogão em que aqueço a sopa na minha panelinha de solteirão e telefono para Baumgarten, convidando-o a partilhar do último recipiente de comida preparada e congelada por mamãe.

Em breve passamos a nos encontrar uma vez por semana para jantar num pequeno restaurante húngaro na parte norte da Broadway, não longe de onde moramos. Tanto quanto Wally, Baumgarten não é o alguém que eu costumava invocar em voz alta diante do espelho do banheiro durante meus primeiros meses de luto em Nova York (o luto que precedeu o verdadeiro luto pela única pessoa que de fato morreu). Mas esse desejado alguém muito provavelmente nunca aparecerá — porque na verdade já apareceu: esteve aqui, foi minha e se perdeu, destruída por um mecanismo terrível que me leva a contestar e contestar — por fim contestar até a morte — o que antes imaginei ser aquilo que mais desejava. Sim, sinto falta de Helen! De repente, *quero* Helen! Como me parecem agora insensatas e ridículas todas aquelas discussões! Que criatura deslumbrante, intensa, ardente! Inteligente, engraçada, misteriosa — e deixada para trás! Ah, por que fiz o que fiz? Tudo deveria ter sido tão diferente! E quando haverá outra, se algum dia houver?

Assim, transcorrida pouco mais de uma década de vida adulta, sinto que já desperdicei todas as minhas chances. Meditando acerca de meu passado diante daquela patética panelinha esmaltada, sempre tenho a impressão de que não apenas confrontei um mau casamento mas todo o sexo feminino, como se eu não houvesse sido construído para viver harmoniosamente com ninguém.

Por sobre uma salada de pepino e um repolho recheado (não estão ruins, mas nada que se compare — informo a Baumgarten, soando como papai — ao que tínhamos nos dias gloriosos do Hungarian Royale), eu lhe mostro uma velha foto de Helen, uma fotografia de passaporte tão convidativa e sedutora como jamais se viu em nenhuma alfândega. Descolei-a da carteira de motorista internacional que recentemente havia aparecido — cada um com suas discordâncias e incongruências — numa caixa com papéis de Stanford, entre minhas anotações de aula sobre François Mauriac. Levo a foto de Helen para o jantar e passo metade da refeição me perguntando se devo tirá-la da carteira ou, melhor dizendo, me perguntando por que fazê-lo. Uns dez dias antes eu a levara ao consultório de Klinger a fim de lhe provar que, embora incapaz de enxergar certas consequências terríveis, eu não era cego de todo.

"Uma beleza extraordinária", diz Baumgarten quando, com algo semelhante à ansiedade do estudante que apresenta um ensaio plagiado, estendo a foto por cima da mesa. E então fico na maior ansiedade para ouvir cada palavra dele! "Uma abelha rainha, sem dúvida", diz. "Sim, senhor, e perseguida no voo pelos zangões." Ele passa um bom tempo saboreando a imagem. Tempo demais. "Fico com inveja", ele me informa, e não para se fazer de cortês. Está mesmo transmitindo uma emoção genuína.

Bem, eu penso, ao menos *ele* não vai fazer pouco dela ou de mim... No entanto, agora reluto em tentar deslindar coisas verdadeiramente pessoais na presença de Baumgarten, como se qualquer desafio que ele pudesse oferecer à perspectiva de Klinger — e à vontade que tenho de me submeter a ela — fosse capaz de me derrubar, quem sabe até me mandando de volta ao ponto em que me encontrava quando iniciava meus dias de joelhos. Naturalmente, não é agradável me sentir ainda tão suscetível a esse tipo de confusão, ou me sentir tão mal protegido das intempéries por minha terapia, ou descobrir que, naquele momento, pareço compartilhar com Debbie Schonbrunn a percepção de Baumgarten como um foco de contaminação. O fato é que *realmente* aguardo com prazer nossos encontros e que me interesso *mesmo* em ouvir suas histórias — contadas, assim como as de Helen, por alguém sintonizado nas fontes de sua excitação e confiantemente oposto a tudo que se apresente como obstáculo, na verdade até se divertindo com as dificuldades. Não obstante, também é fato que minha ligação com Baumgarten está crescentemente marcada pela incerteza, pelo que às vezes quase se assemelha a surtos de dúvida, tanto mais fortes quanto maior é a amizade. A história da família de Baumgarten é feita de dor, e um pouco mais. O pai, padeiro, morreu recentemente muito pobre e sozinho na enfermaria de um hospital de veteranos de guerra — ele desertara da família durante a adolescência de Baumgarten ("Já foi tarde") e somente após anos de depressões pavorosas, que haviam transformado a vida familiar num longo velório pontuado por crises de choro. A mãe de Baumgarten trabalhara por trinta anos costurando luvas num sótão perto da Penn Station, com medo do patrão, do capataz, da plataforma do metrô e do trilho eletrificado, e, em casa, com medo das escadas do porão, do forno a gás, do quadro de fusíveis e até mesmo de um martelo e de um prego. Ela sofrera um derrame incapacitante quando Ralph cursava a universidade e, desde então, olhava fixamente para a parede num asilo de judeus velhos e doentes em Woodside. Todas as manhãs de domingo, quando seu filho mais moço a visita — exibindo o sorriso arrogante, sobraçando o *Sunday News* e trazendo na mão o saquinho de papel com o bagel comprado na mercearia —, a enfermeira entra à frente dele no quarto e anuncia com voz animada para estimular a frágil mulher prostrada na poltrona (mas enfim a salvo das armadilhas do mundo): "Adivinha quem está aqui com suas compras, Mildred? Seu professor!".

Além das despesas com o tratamento de sua mãe não cobertas pelo governo (e que Baumgarten paga com o salário da universidade), coube-lhe também a responsabilidade típica de um pai pela irmã mais velha, que vive em Nova Jersey com três filhos e o marido, encarregado de tocar uma desafortunada lavanderia a seco. Os três garotos são descritos pelo tio Baumgarten como "debiloides" e a irmã como "perdida", tendo crescido em meio aos terrores da mãe e à melancolia do pai; agora, com mais ou menos a minha idade, é dominada por uma infinidade de superstições que, segundo Baumgarten, provêm diretamente das pequenas comunidades judaicas da Europa Oriental na Idade Média. Por causa de sua aparência, de suas roupas e das coisas estranhas que diz aos colegas de escola de seus filhos, é conhecida como "a cigana" no bairro de Paramus, onde a família mora. Ao ouvir o indômito sobrevivente narrar as histórias deste clã cruelmente arrasado, me surpreende que Baumgarten não haja nunca, ao que eu saiba, escrito uma única linha acerca do fato de essa família infeliz ser diferente de qualquer outra ou de ele ser incapaz de dar as costas aos destroços apesar do desgosto que sente ao recordar seus anos de formação naquela casa funérea. Não, nem uma só palavra sobre isso em seus dois livros de poesia, o primeiro despudoradamente intitulado, quando ele tinha vinte e quatro anos, *A anatomia de Baumgarten*, e o mais recente, com base num poema erótico de Donne, *Atrás, na frente, em cima, no meio e embaixo*. Devo admitir a mim mesmo — se não a um dos Schonbrunn — que, após uma semana em que as obras de Baumgarten foram meus livros de cabeceira, o interesse que há muito dedico aos componentes e acessórios do sexo oposto me parece totalmente saciado. Entretanto, embora me impressione a estreiteza de seu tema — ou, antes, sua forma de explorá-lo —, encontro, na mescla de desabusada erotomania, fetichismo microscópico e fascinante autoritarismo, um indivíduo cujo inabalável reconhecimento de seus próprios imperativos não pode deixar de atrair minha curiosidade. Mas, de início, o simples fato de vê-lo comer no jantar já atrai minha curiosidade — às vezes me é tão difícil observá-lo quanto afastar a vista. Será que o animal não domesticado existente dentro dele é que faz esse carnívoro estraçalhar a carne entre os dentes com tão estupendo poder muscular? Ou será que não mastiga a comida com delicadeza simplesmente porque o resto de nós concorda em fazer isso? Onde ele terá comido carne pela primeira vez, em Queens ou numa caverna? Certa noite, a visão dos incisivos de Baumgarten arrancando a carne da costeleta de vitela à milanesa me faz procurar nas estantes de meu apartamento a coletânea de contos de Kafka, a fim de reler o parágrafo final de "O artista da fome", a descrição da jovem pantera que é posta numa jaula fora da tenda do circo para substituir o faquir morto de inanição. "Como a comida de que gostava era trazida sem hesitação pelos empregados, o animal nem parecia sentir falta da liberdade; seu corpo nobre, alimentado até quase estourar com tudo de que necessitava, dava a impressão de também carregar consigo a liberdade, oculta nas imediações das mandíbulas..."

Sim, e o que se oculta nas mandíbulas fortes de Baumgarten? Também a liberdade? Ou algo mais semelhante à avidez de quem quase foi enterrado vivo? As mandíbulas dele são como as da nobre pantera ou como as do rato esfomeado?

Pergunto a ele: "Ralph, como se explica você nunca ter escrito sobre sua família?". "Eles?", retruca, me lançando um olhar indulgente. "Não, eles e você." "Por quê? Só para poder ler para uma casa cheia no Centro Comunitário Judaico? Ah, Kepesh" — embora cinco anos mais jovem que eu, ele gosta de falar comigo como se eu fosse um menino e também um quadradão incorrigível — "me poupe de entrar nesse tema família judaica e suas atribulações. Será que você consegue se interessar por outro filho, outra filha, outra mãe e outro pai se enlouquecendo mutuamente? Todo aquele amor; todo aquele ódio; todas aquelas refeições. E não se esqueça dos atributos da 'pessoa decente'. E da busca frustrante da dignidade. Ah, e a bondade. Você não pode escrever sobre isso e deixar de fora a bondade. Ouvi dizer que alguém acaba de publicar um livro inteiro sobre a literatura judaica que usa a bondade como tema. Espero a qualquer momento ficar sabendo que um crítico irlandês escreveu sobre a sociabilidade nas obras de Joyce, Yeats e Synge. Ou do artigo escrito por algum ex-aluno da Universidade Vanderbilt sobre a hospitalidade no romance sulista: 'Fique à vontade: a hospitalidade no conto de Faulkner "Uma rosa para Emily"'."

"Só imaginei que isso poderia lhe dar acesso a outros sentimentos."

Ele sorri. "Deixe que outros sujeitos tenham esses sentimentos, está bem? Estão acostumados a tê-los. *Gostam* de tê-los. Mas virtude não é o meu forte. Chaaata demais." Uma de suas palavras favoritas, com a primeira sílaba bem alongada. "Olhe", ele diz, "não suporto muito esse seu Tchékhov, o santinho. Por que ele nunca está metido na merda? Você é uma autoridade no assunto. Por que o mau elemento nunca é o Anton, e sim um idiota qualquer?"

"Essa é uma maneira estranha de ler Tchékhov, sabe, esperando encontrar Céline. Ou Genet. Ou você. Mas talvez o mau elemento também não seja sempre Baumgarten. Não soa assim quando você me conta sobre as visitas a Paramus ou ao asilo de velhos. Na verdade, lembra mais Tchékhov. O servo da família."

"Não tenha tanta certeza disso. Além do mais, por que se dar ao trabalho de escrever sobre esse tipo de coisa? Será que já não foi feito um milhão de vezes? Será necessário que eu também grave com canivete meu nome no Muro das Lamentações? Para mim, os livros que contam — e incluo os meus — são aqueles em que o autor *se incrimina*. Não sendo assim, que interesse podem ter? Incriminar outra pessoa? Não acha que é melhor deixar isso para os que se consideram superiores e para esse astuto teatrinho em iídiche chamado Crítica Literária? Ah, esses digníssimos judeus de meia-idade com seus rituais de rebelião e expiação! Você já os leu na primeira página do *Sunday Times*? Todos esses caçadores de xoxota enrustidos querendo se passar por Tolstói. Toda essa simpatia pelos humilhados, toda essa proteção da chama sagrada — o que, aliás, não lhes custa nem a porra de um centavo. Olhe, todos esses grandes sofredores que carregam o fardo da cultura judaica *precisam* de um judeu idiota e decaído que responda pelos pecados deles em público — então por que não os meus? Mantém as esposas no escuro e oferece às amantes alguém sensível ao sofrimento cujo pau elas podem chupar, além de chamar a atenção para seus nomes. Todo ano leio nos jornais que os chefões da Universidade Brandeis distribuem medalhas de mérito a essa gente. Virtude, virtude, quem é mais virtuoso? Maior esquemão judaico desde que o Meyer Lansky brilhou na Máfia."

Sim, ao chegar a esse ponto ele está a toda e, indiferente à altura da voz e à agitação dos braços — de fato se divertindo com seu ataque de bile —, discursa sobre a lascívia (bem conhecida de todos os nova-iorquinos, a crer em Baumgarten) do "querido mestre" que demoliu seu segundo livro de poemas numa resenha sobre vários autores publicada no *Times*. "Nenhuma 'cultura', nenhum 'coração' e, o que é pior, nenhuma 'perspectiva histórica'. Como se o querido mestre tivesse alguma perspectiva histórica quando está transando com alguma professora assistente! Não, eles não gostam muito quando você chega lá e cai de boca só para sentir o gostinho de peixe na sua cara. Não, não, se você for um homem de letras de verdade, na melhor tradição humanista, mantém sua perspectiva histórica até quando está trepando."

Só depois que bebemos chá e comemos o strudel, ele termina (por aquela noite) sua peroração acerca das hipocrisias, manifestações sentimentaloides e chatice generalizada do mundo literário e da tradição humanista (em grande parte tal como incorporadas nos resenhistas de suas obras e nos integrantes de seu departamento na universidade). Começa então a falar, com uma espécie diferente de deleite, sobre sua outra arena predileta de afirmação. Assim como muitas de suas histórias sobre as surpresas agradáveis que a caçada propicia, o que ele conta por sobre os restos da sobremesa desperta recordações antigas mas ainda vívidas de minhas próprias experiências. Na verdade, há momentos em que, ao ouvi-lo falar sem a menor vergonha da ampla gama de seus prazeres, sinto que estou diante de uma projeção parodiada de mim mesmo. Uma paródia — uma possibilidade. Talvez Baumgarten sinta o mesmo a meu respeito, o que explicaria a curiosidade de um pelo outro. Eu sou um Baumgarten trancado na Casa Grande, enjaulado nos canis, um Baumgarten klingerizado e schonbrunneado até a submissão total — enquanto ele é um Kepesh, ah, que Kepesh!, com espuma na boca e a língua comprida para fora, livre da correia e correndo à solta.

Por que estou aqui com ele? Passando o tempo, sem dúvida — mas, enquanto isso, o que está acontecendo comigo? Na presença do voraz Baumgarten, será que estou esperando ser exposto, ainda que ligeiramente, ao vírus mais violento, ficando imunizado para sempre? Ou, quem sabe, espero mesmo é ser infectado de novo? Será que por fim assumi a responsabilidade por minha própria cura? Ou a convalescença terminou e estou pronto a começar a conspirar *contra* o doutor e suas chatíssimas admoestações?

"Uma noite, no inverno passado", ele diz, contemplando o traseiro avantajado da garçonete húngara que, calçando pantufas, dirige-se à cozinha para preparar mais chá, "eu estava dando uma olhada nas estantes da Marlboro" — e posso vê-lo folheando os livros porque já o vi fazendo isso pelo menos uma dúzia de vezes. BAUMGARTEN: Hardy? GAROTA: Bom... é. BAUMGARTEN: Você pegou *Tess dos d'Urberville*? GAROTA (olhando para a capa do livro): Certo, isso mesmo — "e comecei a conversar com uma moça simpática de rosto corado que me contou que havia acabado de chegar de trem de uma visita à sua família em Westchester. Alguns assentos mais à frente dela, estava sentado um sujeito de terno, gravata e sobretudo que ficou olhando para ela por cima do ombro e batendo punheta debaixo do casacão. Perguntei qual tinha sido a reação dela. 'O que você acha que eu fiz? Olhei direto nos olhos dele e, quando chegamos à Grand Central Station, me aproximei e disse: Ei, acho que devemos nos encontrar, acho que eu gostaria de me encontrar com você.' Pois bem, o sujeito se mandou, saiu correndo da estação e a garota foi atrás, tentando explicar que falava *sério* — ela havia gostado da aparência dele e admirado sua coragem, estava tremendamente lisonjeada pelo que ele tinha feito, mas o cara se enfiou num táxi antes de ser convencido de que poderia se divertir um bocado. Seja como for, engrenamos um bom papo e fomos para o apartamento dela. Era num desses arranha-céus na beira do East River. Depois de me mostrar a paisagem do rio e a cozinha com todos os livros de culinária, ela me pediu para tirar sua roupa e amarrá-la à cama. Bom, eu não brincava com uma corda desde os tempos de escoteiro, mas consegui. Fiz com fio dental, Kepesh, onze metros de fio — ela ficou com as pernas e os braços bem abertos, exatamente como queria. Levei quarenta e cinco minutos. E você tinha que ouvir os sons que vinham dessa garota. Tinha que ver ela inteira excitadíssima. Uma imagem muito inspiradora. Faz a gente entender melhor os tarados. Enfim, ela me disse para pegar as pílulas estimulantes no armário de remédios do banheiro. Mas não tinha nada, nem uma para contar a história. Parece que um amigo dela havia roubado tudo. Então eu disse que tinha cocaína em casa e que podia ir pegar se ela quisesse. 'Vai, vai lá pegar, vai', ela pediu. Por isso eu fui. Mas quando eu descia do meu apartamento e tomava um táxi para voltar à casa dela, me dei conta que não sabia seu nome — e, por mais que me esforçasse, não conseguia nem lembrar em que merda de edifício ela morava. Kepesh, fiquei numa sinuca de bico", ele diz e, esticando por cima da mesa o indicador e o polegar para pegar algumas migalhas de torta no meu prato, acaba derrubando o copo d'água no meu colo com o punho da manga de seu casacão militar. Por algum motivo, Baumgarten sempre come sem tirar o sobretudo. Talvez Jesse James fizesse o mesmo.

"Opa", ele exclama, vendo o copo cair, embora obviamente essa não seja a primeira vez; na realidade, "opa" pode ser a palavra de três letras que Baumgarten mais usa, sem dúvida quando ele transforma a mesa em sua manjedoura. "Desculpe", diz, "tudo bem com você?" "Vai secar", respondo. "Sempre seca. Continue. E o que você fez?" "O que eu podia fazer? Nada. Fui de prédio em prédio olhando os nomes dos moradores. O primeiro nome dela era Jane, ou pelo menos foi o que me disse. Por isso, quando via um 'J.', o babaca aqui tocava a campainha. Evidente que não consegui encontrá-la, embora tivesse iniciado algumas conversas promissoras. Aí um policial chegou e me perguntou o que eu estava procurando. Falei que devia estar no prédio errado, mas, ao sair, ele me seguiu até o pórtico, por isso fiquei por ali mais um ou dois minutos olhando o céu e apreciando a lua. Depois fui para casa. Nos dias seguintes, comprei o *Daily News* todas as manhãs a caminho da universidade para ver se a polícia havia descoberto um esqueleto amarrado à cama com fio dental no decadente East Side. No fim, simplesmente desisti. E então, no último verão, eu estava saindo de um cinema na rua Oito, e lá estava a tal garota, esperando na fila para a outra sessão. A Jane velha de guerra. E sabe o que ela disse? Quando me viu, seu rosto se abriu no maior sorriso e ela falou: 'Muito louco, cara'."

Cético, porém rindo, pergunto: "Isso tudo aconteceu mesmo?".

"Dave, basta andar pelas ruas e dizer olá para as pessoas. *Tudo* acontece."

Então, depois de perguntar à garçonete (nova no restaurante e cuja robustez já meio passada e campesina ele decidiu conhecer) se ela podia lhe indicar alguém que desse aulas de húngaro; depois de anotar seu nome e número de telefone — "Você mora lá sozinha, não é, Eva?" —, Baumgarten se desculpa e vai até os fundos do restaurante, onde há um aparelho telefônico. A fim de anotar o número de Eva, ele havia tirado do bolso do sobretudo uma porção de papéis e envelopes, nos quais, como posso ver, já foram registrados nomes e endereços das outras representantes do sexo oposto que cruzaram seu caminho durante o dia. O número para o qual ele está ligando agora foi levado com ele, permitindo que eu contemple sem pressa várias notas de cunho pessoal com suas respectivas cargas existenciais.

Usando a unha, consigo expor o último parágrafo de uma carta cuidadosamente datilografada num papel encorpado de cor creme.

... Achei sua menina de quinze anos (na verdade, dezoito, mas juro que pela aparência você nunca perceberia a diferença e, de qualquer modo, quinze dá cadeia) — uma estudante do segundo ano, não apenas jovem mas realmente bonitona, uma moça doce e ao mesmo tempo sofisticada, você não ia encontrar ninguém melhor. Descobri ela para você sozinha, se chama Rona e vamos almoçar na semana que vem, portanto, se quer mesmo fazer isso (presumindo que se lembra de haver mencionado aquele desejo especial), vou abrir as negociações nessa ocasião. Estou bem confiante de que terei sucesso. Sinalize, por favor, sua intenção na próxima vez em que for à minha sala, uma piscadela para sim, duas para não, preciso saber se devo seguir adiante. Com isso, cumpro minha parte no negócio, servindo de alcoviteira para você, como desejado, apesar de estar com o coração na mão. Agora, por favor, me ponha em contato com a turma do bacanal. As únicas boas razões que me ocorrem para você não fazer isso são: a) seu próprio envolvimento com eles e, então, eu simplesmente desistiria dessas noitadas, se você preferir; ou b) você receia ser exposto por alguém no topo da pirâmide —

mas então basta me dar o nome e eu direi que ouvi de outra pessoa
que não você. Caso contrário, não deixe de oferecer à sua faculdade
de simpatia humana (ligeiramente atrofiada, é verdade) a chance
de se exercitar um pouco (li em algum lugar que antigamente ela
era vista como uma qualidade essencial do poeta), lançando um
pequeno raio de luz na vida sombria de uma solteirona em processo
(rápido) de fenecimento.

Sua camaradinha,

T.

E quem será "T", me pergunto, no topo da pirâmide? A
assistente do reitor ou a diretora do departamento médico? E
quem — em outro pedaço de papel — é "L"? As palavras dela ris-
cadas e reescritas a cada linha; a caneta de ponta de feltro à beira
da anemia — o que deseja ela do poeta cujo coração é ligeiramente atrofiado? Será "L" a voz suplicante que Baumgarten
ouve com tamanha paciência na cabine telefônica? Ou essa será
"M", ou "N", ou "O", ou "P"...?

Ralph, recuso-me a pedir desculpas pelo que ocorreu na noite pas-
sada, a menos que você possa comprovar de forma crível que havia
alguma coisa pervertida ou maldosa no fato de eu querer vê-lo. Ima-
ginei que se pudesse simplesmente me sentar no mesmo aposento
com um homem que não estivesse tentando me pressionar, me con-
vencer ou me confundir, alguém de quem eu gostasse e a quem res-
peitasse, teria condições de chegar mais perto de algo dentro de mim
que é importante e real. Tenho a impressão de que você não vive
num mundo de sonhos, mas às vezes me pergunto se, desde que tive
o bebê, não é isso que está acontecendo comigo. Eu não queria ter
relações sexuais. Em algumas ocasiões você age como alguém que é
um mestre em matéria de tirar a calcinha das senhoras — e nada
mais. Eu certamente não lhe farei outras visitas espontâneas depois

das dez da noite. Só queria e precisava falar com alguém com quem eu não estivesse envolvida, e escolhi você, embora deva admitir que, de certo modo, desejo me envolver, uma parte de mim quer ficar em seus braços, enquanto a outra insiste em que preciso é de sua amizade, de seus conselhos — e de distância. Acho que não quero mesmo é reconhecer que você mexe comigo. Mas isso não significa que não considere que você tem alguma coisa de louco...

Dentro da cabine, Baumgarten desliga o telefone, por isso paro de ler as cartas de suas fãs. Pagamos a Eva, Baumgarten recolhe suas coisas e, juntos — ele me informa que sua "amiga" do telefone ficará melhor sozinha naquela noite —, seguimos para a livraria mais próxima, onde, como sempre, um ou outro desembolsará cinco dólares para levar cinco livros encalhados que muito provavelmente jamais chegarão a ser lidos. "Ébrio de tantas bocetas e letras de forma!", como declama meu comparsa secreto no poema sobre si próprio atrás, na frente, em cima, no meio e embaixo.

Passam-se duas semanas inteiras e seis sessões antes que me sinta capaz de dizer ao psicanalista, a quem supostamente devo contar tudo, que pouco depois, naquela noite, encontramos uma estudante de ginásio que comprava uma edição de bolso para sua aula de inglês. (BAUMGARTEN: Emily ou Charlotte? GAROTA: Charlotte. BAUMGARTEN: *Villette* ou *Jane Eyre*? GAROTA: Nunca ouvi falar do primeiro. *Jane Eyre*.) Alegre, bem sabida e só levemente assustada, ela tinha nos acompanhado ao quarto alugado por Baumgarten e lá, deitada no tapete mexicano em meio a várias pilhas de seus dois livros de poesia erótica, tinha feito um teste para se empregar como modelo na nova revista de fotografias sensuais que estava sendo criada na costa oeste por nossos patrões, o casal Schonbrunn. A revista se chamaria *Boceta*. "Os Schonbrunn", ele explica, "estão enjoados de se fazer de bonzinhos."

Magricela e de cabelos ruivo-amarelados, usando jeans e uma jaqueta de couro com franjas, ela nos havia dito sem rodeios, ao ser entrevistada na livraria, que não via nenhum problema em se despir diante de um fotógrafo. Por isso, chegando ao quarto, Baumgarten lhe ofereceu uma de suas revistas dinamarquesas para ela buscar inspiração. "Você seria capaz de fazer isso, Wendy?", ele pergunta com avidez. Sentada no sofá, ela folheia as revistas com uma das mãos enquanto, com a outra, segura o cone de sorvete que Baumgarten (o impecável cenarista) não pôde deixar de lhe comprar no caminho. ("Que sabor você prefere, Wendy? Vá em frente, por favor, compre duas bolas, com a cobertura que quiser. E você, Dave? Também quer um de chocolate?") Limpando a garganta, ela fecha a revista no colo, acaba de comer o cone e, com uma calma controlada, diz: "Isto aqui vai um pouco longe demais para mim". "O que não seria longe demais para você?", ele pergunta. "É só me dizer o que seria melhor." "Talvez alguma coisa na linha da *Playboy*", ela responde.

Em seguida, trabalhando juntos como dois jogadores que trocam passes para penetrar na defesa cerrada do adversário, como dois operários metódicos cravando um poste com pancadas alternadas do malho — algo parecido com o que Birgitta e eu fazíamos na Europa durante a Idade do Aprendizado —, conseguimos, numa série de poses provocantes em estágios progressivos de desnudamento, fazer com que ela se deitasse de costas apenas com a calcinha de dimensões reduzidas e as botas. E isso, diz a garota de dezessete anos que cursa o último ano ginasial da escola Washington Irving — tremendo ligeiramente ao ver nossos quatro olhos a contemplando de cima —, é até onde ela irá.

E então? Que o limite dela será realmente *o* limite, é compreendido por Baumgarten e por mim sem necessidade de consulta. Deixo isso claro a Klinger, mostrando também que ninguém chorou, que não houve uso de força, que nem mesmo a ponta de um dedo tocou a pele dela.

"E quando isso aconteceu?", Klinger pergunta.

"Há duas semanas", respondo, levantando-me do sofá para pegar o sobretudo.

E vou embora. Guardei minha confissão por duas semanas e, mesmo então, até o fim da sessão. Por isso, consigo simplesmente sair pela porta sem ter de acrescentar — o que nunca farei — que não foi a vergonha de ser reincidente que me impediu de contar a coisa antes, e sim a pequena foto colorida da filha adolescente de Klinger num macacão desbotado e camisa sem mangas da escola, tirada em alguma praia e exibida num porta-retratos de moldura tripla sobre a escrivaninha, entre as fotografias de seus dois filhos.

E então, no primeiro verão após meu retorno à costa leste, encontro uma jovem totalmente diferente daquele pequeno bando de consoladores, conselheiros, sátiros e provocadores — as "influências", como diria papai — em meio aos quais minha carcaça apática e assexuada vinha circulando desde que eu havia me tornado um homem solitário, sem mulheres, sem prazeres e sem paixões. Sou convidado para passar o fim de semana em Cape Cod por um casal de professores que conhecera havia pouco, e lá apresentado a Claire Ovington, a jovem que tinha alugado um pequeno chalé vizinho com telhado de madeira, num terreno repleto de rosas-caninas perto da praia Orleans, onde passava os dias na companhia de seu labrador de pelo dourado. Uns dez dias depois da manhã que passamos conversando na praia — e depois de lhe enviar de Nova York uma carta artificialmente charmosa e solicitar os conselhos de Klinger durante várias horas angustiantes —, pego o touro pelas unhas e volto a Orleans, hospedando-me na pousada local. Sou atraído de início pela mesma aparência de suave voluptuosidade que tanto havia contribuído (contra todas as ressalvas aparentemente razoáveis) para me aproximar de Helen e que deflagra em mim, pela primeira vez em mais de um ano, uma onda espontânea de sentimento caloroso. De volta a Nova York após minha breve visita no fim de semana, só pensei nela. Será que sinto um renascer de desejo, de confiança, de capacidade? Ainda não de todo. Ao longo da semana em que me hospedo na pousada, não consigo deixar de me comportar como uma criança excessivamente zelosa numa aula de dança, incapaz de atravessar uma porta ou erguer um garfo sem uma demonstração excessiva de boas maneiras. E, depois da exibição feita na carta, que espetáculo brilhante de fino humor e autoconfiança! Por que fui ouvir Klinger? "Naturalmente, trate de ir — o que você tem a perder?" Mas o que é que *ele* tem a perder se eu fracassar? Porra, onde está sua visão trágica da vida? A impotência não é nenhuma piada — é uma praga! Pessoas se matam por causa disso! E, sozinho na cama da pousada após mais uma noite em que mantenho distância de Claire, entendo por quê. De manhã, antes de partir novamente para Nova York, vou ao chalé dela bem cedo tomar o café da manhã e, enquanto como as panquecas de mirtilo fresco, tento me redimir um pouquinho admitindo minha vergonha. Não sei como me safar daquilo mantendo intacta ao menos uma parcela da autoestima, embora não imagine para que me servirá a autoestima no futuro. "Acho que vim até aqui — depois de te escrever daquele jeito e aparecer de repente —, bem, depois de toda essa fanfarra, parece que entrei no palco e... desapareci." E, então, me invadindo, atingindo até as raízes de meus cabelos, sinto algo bem similar ao que imaginei poder evitar caso desaparecesse. "Devo ter parecido estranho a você. Nos últimos tempos, tenho parecido estranho a mim mesmo. Estou apenas tentando dizer que, se agi com frieza, não foi por nada que você tenha feito ou dito." "Mas", ela retruca antes que eu possa iniciar outra série de desculpas sobre esse ser "estranho" que eu sou, "foi tão agradável! De certo modo, foi uma coisa muito simpática". "Foi mesmo?", pergunto, temeroso de que esteja prestes a ser humilhado de alguma forma imprevista. "Agradável por quê?" "Encontrar, para variar, alguém tímido. É bom saber que isso ainda existe na Era do Vale Tudo." Meu Deus, tão delicada por dentro como por fora! Que tato! Que calma! Que *sabedoria*! Tão atraente fisicamente quanto Helen — porém aqui termina a semelhança. Autocontrole, confiança e determinação, mas, em Claire, tudo a serviço de algo maior do que uma aventura sibarita radical. Com vinte e quatro anos, tendo se diplomado na Cornell em psicologia experimental e obtido o mestrado em educação na Columbia, ela dá aulas numa escola particular de Manhattan para crianças de onze e doze anos, devendo no próximo semestre presidir a comissão de revisão do currículo. Entretanto, para alguém que, como vim a perceber, emana uma forte aura de autossuficiência profissional, representando uma presença plácida, sólida e aparentemente inexpugnável, ela surpreende por sua inocência e falta de malícia na vida pessoal; e, no que se refere a amigos, plantas, jardim de ervas, cachorro, habilidades culinárias, a irmã Olivia (que passa os verões em Martha's Vineyard) e os três filhos de Olivia, Claire demonstra tanto controle quanto uma saudável menina de dez anos. No cômputo geral, essa mescla translúcida de sóbrio desembaraço social, entusiasmos caseiros e susceptibilidade juvenil é simplesmente irresistível. Quer dizer, *não se faz necessária nenhuma resistência*. Um tipo de sedutora a quem posso enfim me entregar.

Agora, é como se um gongo tocasse em meu estômago quando recordo — e o faço todos os dias — que, depois de haver escrito a carta sagaz e galante, eu praticamente decidira deixar tudo de lado. Cheguei até a dizer a Klinger que o fato de escrever de forma inesperada a uma voluptuosa jovem mulher com quem havia conversado na praia durante apenas duas horas dava bem a medida de quão desesperançado eu me tornara. Quase tinha decidido não ir tomar o café da manhã naquele último dia em Cape Cod, tal era o temor do que o meu desejo convalescente poderia estar tramando se, com a mala numa das mãos e a passagem aérea na outra, eu tentasse submetê-lo a um louco teste de última hora. Como consegui superar meu segredo vergonhoso? Devo isso à pura sorte, ao otimista e entusiástico Klinger ou somente àqueles seios dela no maiô? Ah, se assim for, bendito seja cada seio mil vezes! Porque agora estou sem dúvida exultante, excitado, pasmo — grato por tudo que ela é, tanto pela presteza executiva com que organiza sua vida quanto pela paciência que traz às nossas relações sexuais, a astúcia com que parece avaliar exatamente as doses de crua volúpia e terna solicitude necessárias para vencer a ansiedade renitente, renovando assim minha fé no coito e em tudo que poderá vir em sua esteira. Toda a capacidade pedagógica aplicada aos alunos da sexta série é agora outorgada *a mim* após o término das aulas — a mestre gentil e cheia de tato vem ao meu apartamento todos os dias, sempre trazendo com ela a mulher voraz! E aqueles seios, aqueles seios — grandes, macios e vulneráveis, cada qual pesado como um úbere sobre meu rosto, tão quente e substancial em minha mão como um animalzinho gordo em pleno sono. Ah, a aparência dessa mulherona acima de mim quando ainda não se despiu de todo! E, imaginem só, também uma assídua diarista! Sim, a história de cada dia em agendas que datam de seus anos na universidade, o relato de sua vida nas fotografias que tira desde a infância, primeiro com uma Brownie, agora com o melhor equipamento japonês. E aquelas listas! Aquelas listas maravilhosas, metódicas. Também anoto num bloco amarelo o que planejo cumprir todos os dias, porém ao me deitar nunca encontro um sinal tranquilizador ao lado de cada item, confirmando que a carta foi enviada, o dinheiro retirado do banco, o artigo xerocado, o telefonema dado. Malgrado minha própria devoção à ordem, herdada dos cromossomos maternos, ainda há manhãs em que nem consigo localizar a lista que fiz na noite anterior, e, em geral, o que não tenho vontade de fazer em determinado dia sou capaz de deixar para o seguinte sem maiores dramas de consciência. Coisa que não ocorre com a professora Ovington: ela dedica atenção total a cada tarefa que lhe aparece, por mais difícil ou enfadonha que seja, atacando uma de cada vez e indo até o fim. E, para a minha grande sorte, a reconstituição da minha vida parece ser uma dessas tarefas. É como se, no alto de uma de suas páginas amarelas, ela houvesse escrito meu nome e, abaixo, com sua caligrafia aberta e redonda, listado as seguintes instruções para si própria: "Fornecer a DK: 1) carinho amoroso; 2) abraços apaixonados; 3) ambiente mentalmente sadio". Em um ano, o trabalho está concluído, um enorme sinal de conferido ao lado de cada item salvador. Abandono os antidepressivos sem que nenhum abismo se abra aos meus pés. Subloco o apartamento alugado e, sem sofrer demais pela memória dos belos tapetes, mesas, pratos e cadeiras que eu possuía junto com Helen (e que agora são só dela), trato de mobiliar um apartamento que comprei. Aceito até um convite dos Schonbrunn para jantar e, ao final da noite, dou um beijo cortês no rosto de Debbie, enquanto Arthur, paternalmente, beija o de Claire. Simples assim. Insignificante assim. À porta, enquanto Arthur e Claire concluem a conversa que mantiveram durante o jantar — sobre o currículo que Claire está esboçando para as últimas séries —, Debbie e eu trocamos algumas palavras em particular. Por alguma razão — consumo de álcool de ambos, penso —, estamos de mãos dadas! "Outra de suas louras altas", diz Debbie, "mas essa parece um pouco mais simpática. Nós dois a achamos muito doce. E muito inteligente. Onde vocês se conheceram?" "Num bordel em Marrakesh. Olhe, Debbie, já não é hora de você parar de me sacanear? O que você quer dizer com isso de minhas 'louras altas'?" "É um fato." "Não, isso nem é verdade. O cabelo de Helen era castanho-avermelhado. Mas suponha que fosse idêntico ao de Claire — o fato é que 'louras' neste contexto e dito nesse tom, como até você deve saber, é um termo insultuoso usado por intelectuais e outras pessoas sérias para menosprezar mulheres bonitas. Acho também que carrega muitas insinuações de mau gosto quando dirigida a homens da minha origem e compleição. Lembro-me como lá em Stanford você gostava de chamar a atenção das pessoas para a anomalia de que um literato como eu viesse de um meio de judeus de classe média. Isso também me impressionava como algo depreciativo." "Ah, você se leva a sério demais. Por que não admite logo que tem uma queda por essas louronas e pronto? Não há razão para se envergonhar. Elas ficam lindas fazendo esqui aquático, com a cabeleira ao vento. Aposto que ficam lindas em qualquer lugar." "Debbie, vamos fazer um trato. Vou admitir que não sei nada sobre você se você admitir que não sabe nada sobre mim. Tenho certeza que você possui uma maravilhosa vida íntima que eu desconheço." "Neca", ela responde, "tenho tudo às claras. Isto é tudo. É pegar ou largar." Nós dois começamos a rir. "Então, o que é que Arthur vê em você? Esse é realmente um dos mistérios da vida. O que você tem que eu não enxergo?" "Tudo", ela responde. No carro, transmito a Claire uma versão resumida da conversa. "Aquela mulher é perversa", eu digo. "Ah, não", retruca Claire, "é só tolinha, nada mais." "Ela enganou você, Clarissa. A tolice é só cortina de fumaça — ela joga para matar." "Ah, meu querido", diz Claire, "foi *você* quem ela enganou."

Mas chega de falar da minha recuperação e do meu retorno à vida em sociedade. Quanto a papai e sua apavorante solidão, bem, agora ele pega o trem em Cedarhurst para vir jantar em Manhattan uma vez por mês; não aceita vir com maior frequência, porém, de fato, antes do novo apartamento e de ter Claire ajudando na conversa e no preparo da comida, eu não me esforçava muito para convencê-lo, não para nós dois só ficarmos ali sentados, tristes, um observando o outro debicar as costeletas de porco, dois órfãos em Chinatown... não para eu só ficar à espera do momento de ouvi-lo perguntar enquanto comíamos as lichias: "Aquele sujeito não voltou a te incomodar, voltou?".

E, obviamente, me afasto um pouco do turbilhão chamado Baumgarten. Ainda almoçamos juntos de vez em quando, mas deixo que ele desfrute sozinho dos grandes banquetes. E não o apresento a Claire.

Ah, como a vida é fácil quando é fácil, e como é difícil quando é difícil!

Certa noite, após jantarmos em meu apartamento e enquanto Claire prepara as aulas para o dia seguinte na mesa da qual haviam sido retirados os pratos e talheres, eu por fim me encho de coragem (embora isso não mais pareça necessário) e releio o que já escrevi sobre Tchékhov, engavetado há mais de dois anos. Em meio à competência laboriosa e enfadonha daqueles capítulos fragmentários que deveriam focalizar o tema da desilusão romântica, encontro cinco páginas boas de ler: as reflexões acerca do pequeno e cômico conto de Tchékhov "Homem numa concha", que narra a ascensão tirânica e a queda festejada — "Confesso", diz o gentil narrador após o funeral do tirano, "que é um grande prazer enterrar gente como Belikov" — de um diretor de ginásio provinciano cujo amor às proibições e ódio a qualquer desvio às regras mantém uma cidadezinha habitada por "pessoas decentes e sensatas" sob seu jugo durante quinze anos. Trato de reler o conto, relendo depois "A groselheira" e "Sobre o amor", escritos em sequência ao primeiro e formando com ele uma série de ruminações anedóticas sobre as variedades de sofrimento ocasionadas pela prisão espiritual — pelo despotismo mesquinho, pela simples complacência humana e, por fim, até mesmo pela inibição de sentimentos necessária para embasar o senso de decência de um homem escrupuloso. No mês seguinte, com um caderno apoiado nos joelhos e algumas observações preliminares na cabeça, volto todas as noites à ficção tchekhoviana, ouvindo os lamentos angustiados dos infelizes que se veem aprisionados na armadilha da vida em sociedade, as esposas bem-educadas que durante o jantar com convidados se perguntam "Por que estou sorrindo e mentindo?", e os maridos que, aparentemente prósperos e seguros, não passam de um aglomerado de "verdades convencionais e logros convencionais". Ao mesmo tempo, observo como Tchékhov, de forma clara e simples, embora não tão impiedosa quanto Flaubert, revela as humilhações e os fracassos — pior ainda, o poder destrutivo — daqueles que procuram escapar da concha de restrições e convenções, do enfado pervasivo e do desespero sufocante, das situações conjugais dolorosas e da falsidade social endêmica, rumo ao que imaginam ser uma vida vibrante e desejável. Há a agitada jovem esposa de "Infortúnio", que busca "um pouquinho de excitação", contrariando sua própria respeitabilidade ofendida; há o apaixonado proprietário de terras de "Ariadne", que confessa, com a franqueza desarmada de um Herzog, seu caso com uma tigresa vulgar e promíscua que aos poucos o torna um misógino empedernido, mas a quem, não obstante, ele permanece escravizado; há a jovem atriz de "Uma história enfadonha", cujo vivo entusiasmo pela vida no palco, e pela vida com homens, se transforma em amargura por causa de suas primeiras experiências teatrais e amorosas, assim como da própria falta de talento: "Eu não tenho nenhum talento, você sabe, nenhum talento... e muita vaidade". E há "O duelo". Todas as noites durante uma semana (com Claire a alguns passos de distância), releio a obra-prima de Tchékhov sobre o sedutor Laiévski — prevaricador, desleixado, inteligente, amante da literatura —, imerso em suas próprias mentiras e na autocomiseração, e seu antagonista, a consciência cruelmente punitiva que quase o mata, o volúvel cientista Von Koren. Ou é assim que acabo entendendo a história: com Von Koren como o advogado de acusação ferozmente racional e desapiedado, chamado a desafiar o senso de vergonha e a pecaminosidade que é praticamente tudo que restou de Laiévski, e dos quais, infelizmente, ele não pode mais escapar. É esse mergulho em "O duelo" que por fim me faz escrever, e em quatro meses as cinco páginas extraídas da velha e inacabada reformulação de minha tese sobre a desilusão romântica se transformam em cerca de quarenta mil palavras com o título de *Homem numa concha*, um ensaio acerca da permissão e da repressão no mundo de Tchékhov — desejos realizados, prazeres negados, e a dor causada por ambos; no fundo, um estudo do pessimismo abrangente de Tchékhov com relação aos métodos — escrupulosos, odiosos, nobres, dúbios — pelos quais os homens e as mulheres de seu tempo tentaram em vão alcançar "aquele senso de liberdade pessoal" que tanto atrai o autor. Meu primeiro livro! Com uma dedicatória onde se lê: "Para C. O.".

"Ela está para a constância", eu digo a Klinger (e a Kepesh, que não deve esquecer jamais), "assim como Helen estava para a impetuosidade. Ela está para o bom senso assim como Birgitta estava para a imprudência. Nunca vi igual dedicação aos afazeres cotidianos. É impressionante, de fato, como ela lida com cada dia, a atenção que dá a cada minuto. Não há nenhum devaneio — é só uma questão de *viver* com empenho e retidão. Confio nela, é isso o que quero dizer. Foi o que resolveu tudo", anuncio em triunfo, "confiança!"

Passado algum tempo, Klinger responde com um adeus e boa sorte. Na tarde de primavera em que nos despedimos na porta de seu consultório, sou obrigado a me perguntar se de fato não preciso mais de apoio, de ancoragem e de alguém que me ouça, de alertas, encorajamentos, consentimentos, consolações, aplausos e objeções — em suma, de doses profissionais de cuidado materno e paterno, de simples amizade três vezes por semana durante uma hora. Será que superei tudo *de verdade*? Assim sem mais nem menos? Só por causa de Claire? E o que acontecerá se eu acordar amanhã de manhã mais uma vez com uma cratera no lugar do coração, mais uma vez sem a capacidade, o apetite, a força e o tirocínio de um homem, sem o menor controle sobre meu corpo, minha inteligência ou meus sentimentos...

"Vamos ficar em contato", diz Klinger, apertando-me a mão. Do mesmo modo como não fui capaz de encará-lo no dia em que omiti o impacto que a foto de sua filha teve sobre minha consciência — como se, ao suprimir tal fato, eu pudesse me poupar de seu julgamento não proferido, ou do meu próprio —, não permiti que nossos olhos se encontrassem ao dizer adeus. Dessa vez, porém, porque prefiro não externar meus sentimentos de júbilo e de gratidão num acesso de choro. Eliminando toda a emoção com uma boa fungada — e suprimindo pelo momento qualquer dúvida — digo: "Vamos torcer para que eu não precise disso", mas, já na rua, repito em voz alta as palavras inacreditáveis, só que agora acompanhadas das emoções adequadas: "Eu superei tudo!".

No mês de junho seguinte, quando o ano letivo termina para nós dois, Claire e eu tomamos um avião para o norte da Itália, meu primeiro retorno à Europa desde que andei caçando por lá com Birgitta uma década antes. Passamos cinco dias em Veneza numa pensão tranquila perto da Accademia. Tomamos o café da manhã no jardim cheio de aromas da pensão e depois, com sapatos de caminhada, atravessamos as pontes e ruelas que conduzem aos locais que Claire marcou no mapa para visitarmos nesse dia. Enquanto ela tira fotografias dos *palazzos, piazzas,* igrejas e fontes, às vezes me afasto, porém sempre olhando para trás, a fim de não perder de vista a imagem dela e de sua beleza sem artificialismos.

À noite, após jantarmos na pérgola do jardim, nos oferecemos um pequeno passeio de gôndola. Com Claire ao meu lado naquilo que Mann descreve como "o assento mais macio, mais luxuoso e mais relaxante do mundo", me pergunto de novo se esta serenidade de fato existe, se este contentamento, se esta maravilhosa harmonia é real. Será que o pior já passou? Não cometerei outros erros terríveis? E não precisarei pagar ainda pelos erros do passado? Isso tudo foi parte de um rito de passagem, uma juventude demasiado longa e desorientada que agora deixei para trás? "Tem certeza de que não morremos", pergunto, "e fomos para o céu?" "Eu não saberia dizer", ela responde, "você vai ter que perguntar ao gondoleiro."

Na última tarde, esqueço a necessidade de controlar os gastos e vamos almoçar no Gritti. No terraço, dou uma gorjeta ao maître e indico a mesa onde me imaginara sentado com aquela linda estudante que costumava comer barras de amendoim na minha sala de aula. Peço exatamente o que comi em Palo Alto, quando estávamos estudando os contos de Tchékhov sobre o amor e eu me senti à beira de um colapso nervoso — só que desta vez não estou imaginando uma deliciosa refeição com uma nova e imaculada companheira, desta vez ambas são reais e eu estou bem. Pondo-nos à vontade — eu com uma taça de vinho gelado; Claire, a filha abstêmia de pais que bebiam demais, com sua *acqua minerale* —, olho por sobre as águas cintilantes dessa cidade de brinquedo incrivelmente bela e lhe digo: "Você acha que Veneza está mesmo afundando? Tudo me parece no mesmo lugar que estava quando vim aqui pela última vez".

"Com quem você estava na época? Com sua mulher?"

"Não, foi quando ganhei a bolsa da Fulbright. Estava com uma garota."

"Quem era ela?"

Muito bem, quão ameaçada ou perturbada ela se sentiria, o que arrisco despertar (se é que arrisco alguma coisa) caso vá em frente e lhe conte tudo? Ah, que maneira dramática de colocar a coisa! Em que consistiu esse "tudo" — algo mais do que aquilo que um jovem marujo procura em seu primeiro porto estrangeiro? O gosto do marujo pela libertinagem, mas, como se viu, sem a capacidade ou a força do marujo para enfrentá-la... No entanto, para alguém tão metódico e ordenado, alguém que dirigiu sua considerável energia para fazer normal e simples o que havia sido dolorosamente irregular em sua infância, acho melhor responder: "Ah, ninguém importante", deixando o assunto morrer.

Após o que eu só conseguia pensar nesse ninguém que não fizera parte da minha vida nos últimos dez anos. Na distante aula sobre Tchékhov, o marido malcasado havia relembrado dias mais luminosos no terraço do Gritti, um Kepesh jovem, audacioso e ainda incólume circulando com toda a liberdade pela Europa; agora, nesse mesmo terraço, onde vim celebrar a triunfante fundação de uma vida nova e estável, festejar a surpreendente recuperação da saúde e da felicidade, rememoro minhas primeiras e mais excitantes horas como xeique, a noite em nosso porão de Londres, quando é minha vez de perguntar a Birgitta o que ela mais quer. O que eu mais quero as duas garotas já haviam me dado; o que Elisabeth mais quer estamos deixando para o fim — ela não sabe... porque, no fundo de sua alma, como descobrimos quando o caminhão a atinge, ela não quer nada daquilo. Mas Birgitta tem desejos que não teme revelar, e que tratamos de satisfazer. Sim, sentado diante de Claire (que disse que meu sêmen enchendo sua boca lhe dá a sensação de estar se afogando, que aquilo é algo que ela simplesmente não deseja fazer), relembro a visão de Birgitta ajoelhada à minha frente, seu rosto voltado para cima a fim de receber o esperma que cai sobre seus cabelos, sua testa, seu nariz. *"Här!"*, ela exclama, *"här!"*, enquanto Elisabeth, vestindo o penhoar de lã cor-de-rosa e reclinada na cama, observa, com uma fascinação que a imobiliza, o onanista nu e sua suplicante com roupas de baixo.

Como se tivesse importância! Como se Claire estivesse negando algo que importe! Entretanto, por mais que me repreenda pela amnésia, idiotice, ingratidão e insensibilidade, por uma perda louca e suicida de todo o senso de perspectiva, a onda de sôfrega concupiscência que me invade não é causada pela jovem e adorável mulher com quem recentemente inaugurei uma vida que promete o mais profundo tipo de realização, e sim pela companheira pequena e dentuça que vi pela última vez dez anos antes saindo à meia-noite do meu quarto a uns trinta quilômetros de Rouen. O desejo que sinto é pela lasciva ex-companheira de quarto que, quando minha noção do permissível ainda não havia começado a desmoronar por dentro, acolhia tão febril e corajosamente quanto eu o ato incomum e o pensamento extravagante. Ah, Birgitta, vá embora! Mas estávamos no quarto, aqui mesmo em Veneza, no hotel localizado numa estreita ruela transversal ao Zattere e bem perto da pontezinha onde Claire tirou uma foto minha de manhã, quando amarro um lenço em volta dos olhos dela, dando um nó cuidadoso atrás, e, bem de leve no começo, começo a chicoteá-la entre as pernas abertas. Observo, com uma atenção que eu nunca havia dedicado a nada em toda a minha vida, como ela ergue os quadris para receber o impacto de cada golpe do meu cinto na sua dobra genital. "Fala tudo", Birgitta sussurra, e eu falo, num grunhido baixo e contido que jamais usei para me dirigir a nenhuma coisa ou pessoa.

Assim, para Birgitta — para aquilo que prefiro agora chamar de "uma juventude demasiado longa e desorientada" —, um sentimento crescente de camaradagem libidinosa... e o que para Claire, esse ser apaixonado que de fato me salvou? Raiva; desapontamento; repugnância — desprezo por tudo que faz de forma tão maravilhosa; ressentimento por causa daquela coisa à toa que ela não se digna executar. Vejo com que facilidade poderia dispensá-la. As fotos. As listas. A boca que não quer receber minha porra. A comissão de revisão do currículo. Tudo. Suprimo o impulso de pular da mesa e telefonar para o dr. Klinger. Não serei um de seus pacientes histéricos fazendo chamadas do exterior. Não, isso não. Como quando a refeição é servida e, previsivelmente, ao pedirmos a sobremesa, a ânsia por Birgitta me implorando, Birgitta ajoelhada diante de mim ou debaixo de mim, todos esses desejos começam a definhar como costuma acontecer quando deixados a sós. E a raiva também desaparece, substituída por uma tristeza permeada de vergonha. Se Claire sente essa maré de angústia subir e descer — e por que não o faria? como entender minha melancolia frígida e silenciosa? —, decide fingir que não notou, falando sobre seus planos para a comissão de revisão do currículo até que o que quer que nos separou simplesmente se desvanece.

De Veneza seguimos num carro alugado para Pádua, a fim de ver os Giottos. Claire tira mais fotos. Ela as revelará quando voltar para casa e então, sentada de pernas cruzadas no chão — a postura da tranquilidade, da concentração, a postura de uma boa moça —, vai colá-las, obedecendo à ordem certa, no álbum daquele ano. Depois disso, o norte da Itália estará na estante ao pé da cama onde são guardados seus volumes de fotografias; depois disso, o norte da Itália pertencerá para sempre *a ela*, juntamente com Schenectady (onde nasceu e foi criada), Ithaca (onde se formou na universidade) e Nova York (onde mora, trabalha e recentemente se apaixonou). E eu estarei ao pé da cama, junto a seus lugares, sua família e seus amigos.

Embora muitos de seus vinte e cinco anos houvessem sido arruinados pelas disputas entre os pais briguentos — discussões frequentemente estimuladas por um número excessivo de copos de uísque —, ela contempla o passado como digno de registro e de recordação, quando nada por haver sobrevivido à dor e à desordem a fim de criar uma vida decente para si própria. Como Claire gosta de dizer, aquele é o único passado que tem para relembrar, por mais difícil que tenha sido quando as bombas estouravam a seu redor e ela fazia o possível para sobreviver inteira. Além disso, é claro, o fato de que o sr. e a sra. Ovington gastaram mais energia se digladiando do que amparando os filhos não significa que Claire deva abrir mão dos prazeres normais que as famílias normais (se é que elas existem) usufruem de forma natural. Tanto Claire quanto sua irmã mais velha se dedicam apaixonadamente a todas as gentilezas amenas da vida em família — troca de fotografias, presentes, celebração de feriados, chamadas telefônicas regulares —, como se de fato ela e Olivia fossem os pais atenciosos, e seus genitores a prole imatura.

Numa cidadezinha de montanha, encontramos um quarto de hotel com um terraço, uma cama e uma paisagem bucólica, de onde fazemos excursões durante o dia para Verona e Vicenza. Fotos, fotos e mais fotos. Qual é o oposto de um prego sendo martelado num caixão? Bem, é aquilo que ouço quando Claire dispara sua câmera. Mais uma vez, tenho a sensação de estar sendo fechado hermeticamente dentro de algo maravilhoso. Um dia, levando um lanchinho, subimos por trilhas abertas pelas vacas e cruzamos campos em flor, verdadeiras nações de diminutas centáureas, pequenos ranúnculos laqueados e estranhas papoulas. Sou capaz de andar ao lado de Claire durante horas sem pronunciar uma palavra. Fico feliz só de me deitar no chão e, apoiado num cotovelo, observá-la enquanto colhe as flores silvestres que levará para nosso quarto e arrumará num copo cheio d'água posto junto ao meu travesseiro. Não sinto necessidade de nada mais. "Mais" não tem significado algum. Assim como Birgitta parece já não significar nada, como se "Birgitta" e "mais" fossem simplesmente maneiras diferentes de dizer a mesma coisa. Após o espetáculo no Gritti, ela não fez nenhuma outra aparição sensacional. Durante algumas poucas noites, me visita toda vez que Claire e eu fazemos amor — se ajoelhando, sempre se ajoelhando, e implorando aquilo que mais a excita —, mas logo se vai e me vejo por cima do corpo que realmente está debaixo do meu, e com o qual divido todo o "mais" que posso desejar, ou desejo desejar. Sim, simplesmente me agarro a Claire, e a visitante indesejada cedo ou tarde se afasta, deixando que mais uma vez eu desfrute de minha imensa e aterradora boa sorte.

Na nossa última tarde, levamos nosso almoço para o topo de um campo de onde, por sobre colinas verdejantes, se descortinam os espetaculares picos nevados das Dolomitas. Claire está deitada ao lado de onde me sento, seu corpo generoso subindo e descendo suavemente a cada respiração. Observando aquela substanciosa jovem mulher de olhos verdes com suas roupas leves de verão, seu rosto pequeno, pálido, oval e sem imperfeições, sua beleza etérea sem um traço de maquiagem — a beleza, me dou conta, de uma moça pertencente a alguma seita religiosa radical —, digo a mim mesmo: "Claire basta. Sim, 'Claire' e 'basta' são a mesma palavra".

De Veneza voamos para Viena — e para a casa de Sigmund Freud —, seguindo depois até Praga. No último ano dei um curso sobre Kafka na universidade (a apresentação que farei dentro de alguns dias em Bruges tem como tema as preocupações de Kafka com a inanição espiritual), mas até hoje só conheço sua cidade através dos livros de fotografias. Pouco antes da partida, corrigi os exames finais dos quinze alunos do meu seminário, que tinham lido toda a obra de ficção do autor, a biografia de Max Brod, os diários de Kafka e a correspondência para Milena e seu pai. Uma das perguntas que eu havia feito na prova foi a seguinte:

> *Em seu* Carta ao pai, *Kafka diz: "Tudo que escrevo é sobre você; tudo que fiz lá, afinal de contas, foi me lamentar pelo que não podia me lamentar encostado em seu peito. Foi uma despedida intencionalmente longa de você, embora, apesar de atender a suas imposições, tenha tomado a direção determinada por mim...". O que Kafka quer dizer quando afirma que "Tudo que escrevo é sobre você" e acrescenta "embora tenha tomado a direção determinada por mim"? Se quiser, imagine-se como Max Brod escrevendo uma carta ao pai de Kafka a fim de explicar o que seu amigo tinha em mente...*

Eu havia ficado satisfeito com o número de alunos que aceitaram minha sugestão e decidiram se fazer passar pelo amigo e biógrafo do escritor — e, ao descreverem a um pai muito convencional como funcionava um filho muito excêntrico, tinham demonstrado uma sensibilidade madura com relação ao isolamento moral de Kafka, às peculiaridades de seu ângulo de visão e temperamento, e àqueles processos de imaginação pelos quais a mente de alguém tão imerso na existência cotidiana quanto Kafka transforma em fábulas suas lutas do dia a dia. Praticamente nenhum idiota com mestrado em literatura se metendo a fazer uma engenhosa exegese metafísica! Ah, fico mesmo bastante feliz com o seminário sobre Kafka e comigo próprio pelo que fiz lá. Mas, nesses primeiros meses com Claire, o que não foi uma fonte de prazer?

Antes de partir, haviam me dado o nome e o número de telefone de um americano que estava lecionando em Praga durante um ano. Por sorte (e o que não era uma bem-aventurança nessa época?), ele e um amigo tcheco, também professor de literatura, tinham a tarde livre e nos levaram para conhecer a velha Praga. De um banco na Velha Praça Central, contemplamos o palacete em que Kafka cursou o ginasial. À direita da entrada em colunatas, ficava o primeiro andar da loja de Hermann Kafka. "Ele não conseguia se livrar do pai nem na escola", comento. "Pior para ele", retruca o professor tcheco, "e melhor para a ficção." Na imponente igreja gótica que se ergue ali perto, bem no alto de uma parede lateral da nave há uma pequena janela quadrangular que, segundo me dizem, dava para um apartamento que fora habitado pela família de Kafka. Nesse caso, pergunto, será que Kafka não poderia ter observado furtivamente um pecador se confessando lá embaixo, os fiéis rezando... e o interior daquela igreja não poderia ter fornecido, senão todos os detalhes, ao menos a atmosfera da Catedral de O processo? E aquelas ruas do outro lado do rio, serpenteando colina acima até chegar ao vasto castelo dos Habsburgo, certamente também lhe haviam servido de inspiração... Talvez sim, diz o professor tcheco, mas uma pequena aldeia em torno de um castelo que Kafka conhecia de suas visitas ao avô é tida como o principal modelo para a topografia de O castelo. Há também a pequena aldeia onde sua irmã vivera um ano cuidando de uma fazenda e em que Kafka havia passado algum tempo se recuperando de uma enfermidade. Se tivéssemos tempo, é o que aconselha o professor tcheco, eu e Claire devíamos passar uma noite no interior. "Visitem uma dessas cidadezinhas xenofóbicas, com sua taverna enfumaçada e a garçonete de seios grandes, e verão como Kafka era cem por cento realista."

Pela primeira vez, sinto algo mais do que simples afabilidade naquele professor de óculos, baixinho e vestido com apuro — de fato, percebo tudo que a cordialidade busca ocultar.

Próximo ao muro do Castelo, na rua dos Alquimistas calçada de paralelepípedos, fica a casinha diminuta que a irmã mais moça de Kafka alugou para ele em certo inverno — tão pequena que parece saída de um conto de fadas, a habitação perfeita para um gnomo ou um elfo. Tratava-se de mais um esforço dela para tentar afastar, do pai e do resto da família, o filho solteiro. O lugarzinho é hoje uma loja de lembranças. Cartões-postais e suvenires de Praga são vendidos no local onde Kafka escreveu meticulosamente variantes do mesmo parágrafo dez vezes em seu diário e onde desenhou as sardônicas figuras com membros em forma de palito que o representavam, os "ideogramas particulares" que, juntamente com quase tudo mais, ele escondia numa gaveta. Claire tira uma foto dos três professores de literatura diante da câmara de tortura do escritor perfeccionista. Em breve constará de um dos álbuns guardados no pé de sua cama.

Enquanto Claire, com o professor americano e a câmera a tiracolo, vai dar uma volta pelas dependências do castelo, tomo chá com o professor Soska, nosso guia tcheco. Quando os russos invadiram a Tchecoslováquia e puseram fim ao movimento reformista da Primavera de Praga, Soska foi despedido de seu cargo na universidade e, com trinta e nove anos, "aposentado" com uma minúscula pensão. Sua mulher, uma pesquisadora científica, também foi demitida do emprego por razões políticas e, a fim de sustentar a família de quatro membros, há um ano trabalha como datilógrafa num abatedouro. Pergunto-me como foi possível ao professor aposentado não perder o moral. O terno de três peças impecável, o andar rápido, a fala vigorosa e precisa — como ele é capaz de tudo aquilo? O que o faz levantar-se de manhã e dormir à noite? O que o leva a atravessar cada dia?

"Kafka, sem dúvida", ele diz, sorrindo. "Sim, é verdade, muitos de nós só sobrevivemos com a ajuda de Kafka. Inclusive gente por aí que nunca leu uma única palavra escrita por ele.

Entreolham-se quando acontece alguma coisa e dizem: 'É Kafka', significando 'É assim que as coisas são agora', ou ainda: 'Você esperava que fosse diferente?'."

"E a raiva? Diminui quando você dá de ombros e diz 'É Kafka'?"

"Nos primeiros seis meses depois da chegada dos russos, vivi num estado de agitação permanente. Todas as noites eu me reunia secretamente com os amigos. Dia sim, dia não circulava alguma petição ilegal. No tempo que sobrava, eu escrevia, na minha prosa mais lúcida e precisa, usando as frases mais densas e elegantes, análises enciclopédicas da situação, que distribuía em edições *samizdat* entre os colegas. Aí, certo dia desabei e fui hospitalizado com uma úlcera hemorrágica. No começo pensei: Tudo bem, fico deitado aqui um mês, tomo os remédios, como as papinhas e aí... — bem, aí *o quê*? O que eu vou fazer quando o sangramento acabar? Voltar a desempenhar o papel de K., no Castelo e na Corte deles? Isso pode durar para sempre, como Kafka e seus leitores sabem muito bem. Aqueles patéticos indivíduos, esperançosos e esforçados, subindo e descendo escadas freneticamente em busca de soluções, atravessando a cidade na contemplação febril dos novos desenvolvimentos que levarão, imagine só, ao sucesso de suas empreitadas. Começos, meios e, o que é mais fantástico, fins — assim creem que poderão forçar a evolução dos fatos."

"Mas, deixando de lado Kafka e seus leitores, é possível que as coisas mudem se não existir uma oposição?"

O sorriso, ocultando sabe lá que tipo de expressão ele gostaria de mostrar ao mundo. "Meu amigo, fiz constar minha posição. O país inteiro fez constar sua posição. O modo pelo qual vivemos agora não é o que tínhamos em mente. No que me compete, não posso queimar o que resta do meu sistema digestivo tentando deixar isso claro para as autoridades todos os dias da semana."

"E o que você faz em vez disso?"

"Traduzo *Moby Dick* para o tcheco. Naturalmente, já existe uma tradução deste livro, aliás muito boa. Não há a menor necessidade de outra. Mas é uma coisa que sempre me interessou, e agora, como não tenho nada de urgente para fazer, por que não?"

"Por que esse livro? Por que Melville?", pergunto.

"Na década de cinquenta, passei um ano num programa de intercâmbio, morando em Nova York. Andando pelas ruas, eu achava que a cidade estava cheia de tripulantes do navio de Ahab. E no leme de tudo, grande ou pequeno, eu via outro trovejante Ahab. O apetite para pôr as coisas em ordem, para chegar na frente, para ser declarado campeão. E às custas não somente de energia e força de vontade, mas de uma enorme raiva. E isso, essa raiva, é o que eu gostaria de traduzir para o tcheco... se" — sorrindo — "isso for mesmo traduzível para o tcheco. Mas, como você pode imaginar, esse projeto ambicioso, quando terminado, será totalmente inútil por duas razões. Primeiro, porque não há a menor necessidade de outra tradução, sobretudo uma que será provavelmente inferior à ilustre versão que já temos; e, segundo, porque nenhuma tradução minha jamais será publicada neste país. Desse modo, veja você, sou capaz de me engajar num trabalho que de outra forma não ousaria enfrentar, sem ter de me preocupar de novo com a possibilidade de que ele seja sensato ou não. Na verdade, certas noites em que trabalho até tarde, a futilidade do que estou fazendo parece ser a minha fonte mais profunda de satisfação. Para você isso talvez soe apenas como uma espécie pretensiosa de capitulação, de autozombaria. Vez por outra sinto o mesmo. No entanto, continua a ser a coisa mais séria que consigo pensar em fazer na minha aposentadoria. E você", ele pergunta, sempre muito afável, "o que tanto o atrai em Kafka?"

"É uma longa história também."

"Em que linha?"

"Não a da desesperança política."

"Não imaginava que fosse."

"Em boa parte", respondo, "tem a ver com o desespero sexual, com votos de castidade que pareceram ter sido feitos em meu nome sem que eu soubesse disso, e com os quais convivi contra minha vontade. Ou eu combatia meus impulsos carnais, ou eles me combatiam — ainda não sei como dizer ao certo."

"Pelo visto, você não parece ter suprimido seus desejos inteiramente. Essa moça com quem está viajando é muito atraente."

"Bem, o pior já passou. *Talvez* tenha passado. Pelo menos passou até *agora*. Mas, enquanto durou, enquanto não pude ser o que sempre presumi que era, aí foi diferente de tudo que havia conhecido na vida. Naturalmente, você aqui é o especialista em totalitarismo — mas, se me permite, só posso comparar a obstinação total do corpo, sua fria indiferença e desprezo absoluto pelo bem-estar da alma, com um regime totalitário incontrolável. E você pode fazer quantas petições quiser, interpor os recursos mais sentidos, mais solenes e mais lógicos — sem receber a menor resposta. Na melhor das hipóteses, provoca até alguma hilaridade. Apresentei minhas petições por intermédio de um psicanalista; eu comparecia ao consultório dele dia sim, dia não durante uma hora para apresentar minha defesa em favor da restauração de uma libido robusta. E, posso lhe dizer, com argumentos e perorações não menos intrincadas, tediosas, sagazes e obscuras que as encontradas em *O castelo*. Se você acha que o pobre K. é esperto, precisava me ver tentando superar em esperteza a impotência."

"Posso imaginar. Não é algo agradável."

"Obviamente, comparado ao que você..."

"Por favor, não precisa dizer esse tipo de coisa. Não é um negócio agradável, e o direito ao voto, nesse caso, oferece muito pouco em matéria de compensação."

"É verdade. Votei durante esse período e descobri que não me fazia mais feliz. O que eu comecei a dizer sobre Kafka, sobre a leitura de Kafka, é que as histórias de K.s coartados e frustrados, batendo com a cabeça em paredes invisíveis, de repente passaram a ter uma nova e perturbadora ressonância em mim. De uma hora para outra, tudo ficou um pouco menos remoto do que o Kafka que eu havia lido na universidade. Do meu próprio jeito, você entende, passei a conhecer a sensação de alguém que é convocado — ou imagina ter sido convocado — para uma missão que provou estar acima de suas forças, embora, malgrado todas as consequências comprometedoras ou ridículas, não seja capaz de se dar conta disso e abandonar o objetivo. Durante algum tempo, vivi como se o sexo fosse um terreno sagrado."

"Daí que ser 'casto'...", ele comenta com um tom compreensivo, "é muito desagradável."

"Às vezes me pergunto se O castelo não está realmente ligado ao bloqueio erótico de Kafka — um livro que se relaciona em todos os níveis com a incapacidade de atingir o clímax."

Minha especulação o faz rir, conquanto, como antes, de forma cortês e com aquela amabilidade incessante. Sim, quão profundamente comprometido está o professor aposentado, imprensado, como numa calandra, entre sua consciência e o regime — entre sua consciência e sua causticante dor abdominal. "Bem", ele diz, pousando a mão em meu braço num gesto amigável e paternal, "a cada cidadão coartado seu próprio Kafka."

"E a cada homem raivoso seu próprio Melville", retruco.

"Mas, se não fosse por isso, o que os leitores ávidos poderiam fazer com toda a prosa maravilhosa que consomem..."

"... senão digeri-la. Exatamente. Morder os livros, em vez da mão que os estrangula."

No fim da tarde, tomamos o bonde cujo número o professor Soska havia anotado a lápis no verso do pacote de cartões-postais cerimoniosamente oferecido a Claire na porta de nosso hotel. Os cartões continham fotografias de Kafka, de sua família e dos locais de Praga associados à vida e obra do escritor. O belo conjunto de cartões, Soska nos explica, deixou de ser vendido depois que os russos ocuparam a Tchecoslováquia e Kafka se tornou um autor proscrito, na verdade *o* autor proscrito. "Mas você tem outro conjunto desse?", perguntou Claire. "Srta. Ovington", ele respondeu, fazendo uma pequena reverência, "eu tenho Praga. Aceite, por favor. Estou certo de que todos que a conhecem querem lhe dar um presente." Sugeriu então que visitássemos o túmulo de Kafka, visita, contudo, que não lhe seria aconselhável fazer conosco... e, com um gesto de mão, chamou nossa atenção para um homem encostado a um táxi a cerca de quinze metros da porta do hotel: o policial à paisana, ele nos informa, que costumava segui-lo e à sra. Soska meses após a invasão, quando o professor ajudava a organizar a oposição clandestina ao novo regime títere e seu duodeno ainda estava intacto. "Tem certeza de que é ele? Aqui?", perguntei. "Absoluta", disse Soska e, se inclinando para beijar depressa a mão de Claire, saiu andando com passos comicamente apressados, como se participasse de uma corrida de marcha, indo se misturar às pessoas que desciam as amplas escadas rumo à estação do metrô. "Meu Deus", disse Claire, "é muito triste. Todos aqueles sorrisos terríveis. E agora essa fuga!"

Nós dois ficamos um tanto chocados, e eu, no meu caso, por me sentir tão seguro e inviolável com um passaporte no bolso do paletó e a jovem mulher ao meu lado.

O bonde nos leva do centro de Praga ao bairro da periferia onde Kafka está enterrado. Cercado por um muro alto, o cemitério judaico faz limite, num dos lados, com um cemitério cristão bem maior — através das grades vemos alguns visitantes cuidando dos túmulos, ajoelhados como pacientes jardineiros arrancando as ervas daninhas. Do lado oposto, passa uma larga e sombria avenida com um tráfego pesado que se dirige ao centro da cidade. O portão do cemitério judaico está trancado com uma corrente. Sacudo a corrente e grito na direção do que parece ser a casa do zelador. Passado algum tempo, surge uma mulher acompanhada de um menininho. Digo em alemão que vim de Nova York só para visitar o túmulo de Franz Kafka. Ela parece entender, porém diz que não, hoje não. Volte na terça-feira, ela diz. Mas sou professor de literatura e judeu, explico, passando- -lhe um punhado de moedas de coroas por entre as grades. Uma chave aparece, o portão é aberto e o menininho recebe instruções para ir conosco enquanto seguimos as tabuletas que mostram o caminho. As indicações estão escritas em cinco idiomas — tantos são os povos fascinados pelas elucubrações terríveis daquele atormentado asceta, tantos são os milhões de seres amedrontados: *Khrobu/* К могиле/ *Zum Grabe/ To the grave of/ à la tombe de/ FRANZE KAFKY.*

Para meu espanto, assinalando onde jazem os restos mortais de Kafka — e diferente de tudo ao redor —, ergue-se uma pedra esbranquiçada, grossa e alongada, que vai se afilando para cima até formar uma glande pontiaguda — uma lápide fálica. Essa a primeira surpresa. A segunda é que o filho perseguido pelos problemas familiares está enterrado para sempre — ainda! — entre a mãe e o pai, que morreram depois dele. Pego uma pedrinha no caminho de cascalho e a coloco no topo de uma das pilhas feitas pelos peregrinos que me precederam. Nunca fiz nada igual para meus próprios avós, sepultados com outras dezenas de milhares de judeus às margens de uma autoestrada a vinte minutos de meu apartamento em Nova York, nem visitei o túmulo de minha mãe no cemitério arborizado da Catskill desde que acompanhei papai no dia em que a lápide foi instalada. As lajes pretas e retangulares que se acumulam atrás da sepultura de Kafka exibem nomes comuns de famílias judaicas. É como se eu estivesse folheando minha agenda de telefones ou, na recepção do Hungarian Royale, olhasse por cima do ombro de mamãe a lista de hóspedes do hotel: Levy, Goldschmidt, Schneider, Hirsch... As sepulturas se sucedem, porém só a de Kafka parece ser cuidada. Os outros mortos não têm parentes vivos nas redondezas que possam aparar o capim e cortar a hera que sobe pelos troncos das árvores, formando um pesado dossel que une as covas dos que se foram. Só o solteirão sem filhos parece ter uma prole viva. Que melhor lugar haveria para a ironia senão *à la tombe de Franze Kafky*?

No muro que fica em frente ao túmulo de Kafka, há uma pedra onde foi gravado o nome de seu grande amigo Brod. Ali também deposito uma pedrinha. Só então noto as placas afixadas ao longo de todo o muro do cemitério em memória dos cidadãos judeus de Praga exterminados nos campos de Terezín, Auschwitz, Belsen e Dachau. Não há um número suficiente de pedrinhas para homenagear todos eles.

Com a criança silenciosa nos seguindo, Claire e eu voltamos ao portão. Quando chegamos lá, Claire tira uma foto do menininho tímido e, usando a linguagem dos sinais, o instrui a escrever seu nome e endereço num pedaço de papel. Sua pantomima, com gestos largos e manifestações faciais exageradas, faz com que de repente eu me pergunte quão infantil é aquela jovem mulher — e quão infantil e carente eu me tornei como homem —, porém lhe permite informar o garoto de que, quando a foto for revelada, ele receberá uma cópia. Dentro de duas ou três semanas, o professor Soska também receberá uma fotografia de Claire, tirada algumas horas antes diante da loja de lembranças onde Kafka passou um inverno.

Mas por que desejo chamar de infantil o que me liga a ela? Por que dar nomes a esta felicidade? Deixe que ela aconteça! Que seja o que é! Pare com esse questionamento antes mesmo que ele comece! Você precisa do que precisa! Viva em paz com suas necessidades!

A mulher saiu da casa para abrir o portão. Conversamos mais um pouco em alemão.

"Vem muita gente visitar o túmulo de Kafka?", pergunto.

"Não muita. Mas sempre pessoas distintas, professor, assim como o senhor. Ou estudantes jovens e sérios. Ele foi um grande homem. Tivemos muitos grandes escritores judeus em Praga. Franz Werfel. Max Brod. Oskar Baum. Franz Kafka. Mas agora", ela diz, lançando um primeiro olhar (embora breve e de soslaio) na direção de minha companheira, "todos se foram."

"Talvez, quando crescer, seu filhinho venha a ser um grande escritor judeu."

Ela repete minhas palavras em tcheco e depois traduz a resposta que o menino deu enquanto olhava fixamente para seus sapatos. "Ele quer ser aviador."

"Diga a ele que nem sempre as pessoas vêm do outro lado do mundo para visitar a sepultura de um aviador."

Mais uma vez há uma troca de palavras com o menino e, sorrindo com simpatia para mim — sim, só o professor judeu será agraciado com um sorriso gentil —, ela diz: "Ele não se importa muito com isso. E qual é o nome da sua universidade?".

Digo a ela.

"Se o senhor quiser, posso levá-lo ao túmulo do homem que foi o barbeiro do dr. Kafka. Ele também está enterrado aqui."

"Muito obrigado, é muita gentileza sua."

"Ele também foi o barbeiro do pai do dr. Kafka."

Explico a Claire o que a mulher me ofereceu. Claire diz: "Se você quiser, vá em frente".

"Acho melhor não", respondo. "Começa com o barbeiro do Kafka e, lá pela meia-noite, acabamos vendo a sepultura do homem que fazia as velas dele."

À zeladora do cemitério digo: "Infelizmente agora não vai ser possível".

"Naturalmente, sua mulher também pode vir", ela informa com secura.

"Obrigado, mas precisamos voltar ao hotel."

Ela então me lança um olhar claramente suspeito, como se eu muito possivelmente não pertencesse a nenhuma famosa universidade americana. Ela havia deixado para trás seus afazeres para destrancar o portão num dia em que o cemitério não estava aberto aos turistas e eu me revelei uma pessoa pouco séria, talvez um mero curioso, quem sabe um judeu, mas na companhia de uma mulher obviamente ariana.

Na parada do bonde, pergunto a Claire: "Sabe o que Kafka disse ao sujeito com quem dividia uma sala na companhia de seguros? Na hora do almoço, ao ver o colega comendo uma linguiça, Kafka teria sentido um arrepio e dito: 'A única comida apropriada para um homem é meio limão'".

Ela suspira e comenta em tom triste: "Pobre infeliz", vendo, na prescrição dietética do grande escritor, um desprezo pelos apetites inofensivos que soava como simples idiotice para uma jovem saudável de Schenectady, Nova York.

Isso é tudo. No entanto, quando nos sentamos lado a lado no bonde, pego sua mão e me sinto repentinamente livre de outro fantasma, tão "deskafkizado" por minha peregrinação ao cemitério quanto eu parecia ter sido "desbirgittizado" para sempre graças àquela aparição no terraço do restaurante em Veneza. Meus dias de repressão tinham ficado para trás — juntamente com os não reprimidos: não mais "mais", e não mais "nada" também!

"Ah, Clarissa", eu digo, trazendo a mão dela a meus lábios, "é como se o passado não pudesse mais me fazer mal. Simplesmente não tenho mais nenhuma frustração. E meus medos também se foram. Tudo porque encontrei você. Pensei que o deus das mulheres, que as concede aos homens, houvesse olhado para mim aqui embaixo e dito: 'Impossível agradá-lo, que se dane!'. Aí ele me manda Claire."

Nessa noite, depois de jantarmos no hotel, subimos ao quarto a fim de nos preparar para sairmos cedo no dia seguinte. Enquanto arrumo a mala com minhas roupas e os livros que tenho lido nos aviões e na cama antes de dormir, Claire cai no sono em meio às coisas que espalhou sobre a colcha. Além dos diários de Kafka e da biografia de Brod — meus guias suplementares para a velha Praga —, trago comigo edições de bolso de Mishima, Gombrowicz e Genet, obras a serem usadas nas aulas de literatura comparada do próximo ano. Decidi organizar as leituras do primeiro semestre em torno do tema do desejo erótico, começando com aqueles romances perturbadores que tratam da sexualidade lasciva e perversa (perturbadores para certos alunos, uma vez que são o tipo de livro mais admirado por um leitor como Baumgarten, romances em que o autor está propositadamente envolvido naquilo que é mais alarmante do ponto de vista moral) e terminando com três obras-primas que tratam de paixões ilícitas e ingovernáveis, porém abordadas de forma diversa: *Madame Bovary*, *Anna Kariênina* e *Morte em Veneza*.

Sem acordá-la, pego as roupas de Claire de cima da cama e as arrumo na mala. Manuseando suas coisas, sinto-me perdidamente apaixonado. Deixo então um bilhete dizendo que saí para dar uma caminhada e que voltarei dentro de uma hora. Passando pelo saguão de entrada, reparo que há agora umas quinze ou vinte prostitutas jovens e bonitas sentadas sozinhas ou formando pares do outro lado da porta de vidro do espaçoso bar do hotel. Mais cedo só havia três, numa única mesa, conversando animadamente. Quando perguntei ao professor Soska como tudo isso se organizava num regime socialista, ele explicou que a maioria das prostitutas de Praga era composta de secretárias e vendedoras de lojas que faziam um bico com a aprovação tácita do governo; algumas trabalhavam em tempo integral para o Ministério do Interior, tentando obter informações das diversas delegações do Leste Europeu e do Ocidente que se hospedam nos grandes hotéis. O grupo de jovens de minissaia que vejo sentadas no bar provavelmente lá se encontra para dar as boas-vindas aos membros da missão comercial búlgara que ocupa a maior parte do andar abaixo do nosso. Uma delas, que afaga a barriga de um filhote de *dachshund* marrom aninhado em seus braços, sorri para mim. Sorrio de volta (não custa nada) e saio para a Praça da Cidade Velha, onde Kafka e Brod costumavam passear à noite. Quando chego lá, já passa das nove, a espaçosa e melancólica praça está ocupada apenas pelas sombras das vetustas fachadas que a cercam. Onde mais cedo ficavam estacionados os ônibus dos turistas, só se veem agora as pedras lisas e gastas do calçamento. O lugar está vazio — vazio de tudo, menos do mistério e do enigma. Sento-me sozinho num banco sob um lampião e, através da fina névoa, olho além da figura imponente de Jan Hus para a igreja cujos ritos mais privativos o autor judeu podia observar de sua janelinha secreta.

É aqui que começo a compor mentalmente o que de início me parece apenas um devaneio, as primeiras linhas de uma aula de introdução ao curso de literatura comparada cuja inspiração vem do "Relatório para uma academia" de Kafka, o conto em que um macaco discursa numa reunião científica. Trata-se de uma história pequena, de alguns poucos milhares de palavras, mas da qual gosto muito, em especial da abertura, que considero uma das mais encantadoras e surpreendentes de toda a literatura: "Dignos membros da Academia! Os senhores me honraram com o convite para vos oferecer um relato da minha vida pregressa como macaco".

"Dignos Membros do Curso de Literatura 341", eu começo... porém, ao voltar ao hotel e me sentar com a caneta em punho numa mesa vazia no canto do bar, já se havia desgastado o verniz da sátira pedante com que eu principiara, e no papel de carta do hotel me dedico a compor uma aula formal de apresentação (embora influenciada pela prosa impecável e professoral do macaco) que, de todo coração, sinto vontade de dar — e não em setembro, mas naquela hora mesmo!

Sentada a duas mesas de distância, está a prostituta com o pequeno *dachshund*; a ela veio se juntar uma amiga, cujo bichinho de estimação parece ser seu próprio cabelo: ela o acaricia como se pertencesse a outra pessoa. Levantando os olhos de meu trabalho, digo ao garçom que leve um conhaque a cada uma daquelas belas e delicadas trabalhadoras, nenhuma das quais mais velha do que Claire, e traga outro para mim.

"Saúde", diz a prostituta afagando seu cachorrinho e, após nós três trocarmos sorrisos por um breve e tentador momento, volto a escrever o que então me parecem frases da mais absoluta relevância para a vida feliz que se inicia.

Em vez de passar o primeiro dia de aula falando sobre a lista de leituras e as diretrizes básicas do curso, gostaria de lhes dizer algumas coisas sobre mim que nunca divulguei a nenhum de meus alunos. Não há razão alguma para isso e, até que entrei na sala e me sentei, não tinha certeza de que o faria. E ainda posso mudar de ideia. Pois como justificar a circunstância de lhes revelar os fatos mais íntimos de minha vida privada? Com efeito, nos reuniremos para discutir livros por três horas todas as semanas durante os dois próximos semestres, e sei por experiência, como vocês também sabem, que em tais condições pode se criar um forte vínculo afetivo. No entanto, também sabemos que isso não me dá o direito de fazer algo que pode ser apenas um exemplo de impertinência e mau gosto.

Como vocês já devem ter deduzido — tanto pela maneira com que me visto quanto pelo estilo de meus comentários iniciais —, as convenções que tradicionalmente presidem a relação entre aluno e professor são mais ou menos aquelas que eu venho adotando, mesmo durante a turbulência dos anos recentes. Já me disseram que sou um dos últimos professores a me dirigir aos alunos em sala de aula como "senhor" e "senhorita", em vez de usar os primeiros nomes. E, não importa como desejem se vestir — como mecânico, mendigo, cigana de casa de chá ou ladrão de gado —, eu prefiro me apresentar perante vocês para dar aula de paletó e gravata... conquanto, como os mais observadores notarão, geralmente com o mesmo paletó e a mesma gravata. E, quando comparecerem ao meu escritório para alguma consulta, as alunas verão, caso ao menos se deem ao trabalho de olhar, que durante o encontro manterei devidamente aberta a porta que liga ao corredor o aposento em que estaremos sentados lado a lado. Alguns de vocês talvez se divirtam quando me virem retirar o relógio do pulso, como fiz há pouco, e pô-lo ao lado das minhas anotações todo começo de aula. A esta altura não me lembro mais qual dos meus professores costumava acompanhar dessa forma a passagem do tempo, mas ao que parece isso me causou forte impressão, demonstrando um profissionalismo que ainda desejo associar à minha pessoa.

Apesar disso, não vou tentar esconder de vocês que sou feito de carne e osso — ou que entendo que vocês sejam. Lá pelo final do ano, já poderão até estar cansados de minha insistência nas conexões existentes entre os romances que lerão para este curso, mesmo os mais excêntricos e rebarbativos, e o que sabem até hoje sobre a vida. Vocês descobrirão (e nem todos aprovarão) que não concordo com alguns de meus colegas que nos dizem que a literatura, em seus momentos mais sublimes e intrigantes, é "essencialmente não referencial". Posso me apresentar diante de vocês de paletó e gravata, posso chamá-los de senhor e senhora, mas, seja como for, vou exigir que se abstenham de falar de "estrutura", "forma" e "símbolos" em minha presença. Tenho a impressão de que muitos de vocês foram suficientemente intimidados pelo terceiro ano da universidade e deveriam ter a possibilidade de se recuperar, restaurando a respeitabilidade dos interesses e entusiasmos que muito provavelmente os levaram inicialmente a ler ficção e dos quais não caberia agora se envergonhar. Como uma espécie de experimento, vocês podem até querer, ao longo do ano, tentar viver sem nenhuma terminologia aprendida nas salas de aula, abrindo mão de "trama" e "personagem", juntamente com aquelas palavras grandiloquentes a que não poucos de vocês recorrem para tornar mais solenes suas observações, tais como "epifania", "persona" e, naturalmente, "existencial" aplicadas a tudo que existe na face da terra. Sugiro isso na esperança de que, se falarem sobre Madame Bovary com as mesmas palavras que usam com o dono da mercearia ou com sua namorada, estarão criando uma relação com Flaubert e sua heroína mais íntima, mais interessante e até mesmo mais referencial.

Na verdade, todos os romances do primeiro semestre estão relacionados, em maior ou menor grau, com a obsessividade, com o desejo erótico, porque pensei que as leituras organizadas em torno de um tema com o qual vocês têm alguma familiaridade poderia ajudá-los a situar mais ainda tais livros no domínio da experiência pessoal, desestimulando a tentação de despachá-los para aquele terreno mais controlável dos estratagemas narrativos, dos motivos metafóricos e dos arquétipos míticos. Acima de tudo, espero que, ao ler tais livros, vocês aprendam algo valioso sobre a vida num de seus aspectos mais enigmáticos e exasperadores. Também espero aprender alguma coisa.

Muito bem. Tendo dito tudo isso a fim de ganhar tempo, é chegada a hora de começar a revelar o irrevelável — a história do desejo do professor. Só que não posso, ou ainda não posso, ao menos até que haja explicado a mim próprio, se não a seus pais, por que deveria até mesmo pensar em transformá-los em voyeurs, em meus juízes e confidentes, por que deveria expor meus segredos a pessoas que têm a metade da minha idade, a maioria das quais nem conheci como alunos. *Por que possuir uma plateia, quando quase todos os homens e mulheres preferem guardar tais assuntos para si ou só expô-los a seus confessores mais fidedignos, sejam eles laicos ou sacerdotais? O que faz tão necessário, ou minimamente adequado, que eu me apresente a jovens desconhecidos não sob a roupagem do professor, e sim como o primeiro texto do semestre?*

Permitam-me responder com um apelo ao coração.

Adoro ensinar literatura. Raramente sinto-me tão feliz como quando estou aqui com minhas anotações, meus textos assinalados e pessoas como vocês. A meu ver, não há nada na vida comparável a uma sala de aula. Às vezes, quando conversamos — quando, por exemplo, um de vocês com uma só frase atinge em cheio o âmago do livro que está sendo estudado —, tenho vontade de gritar: "Queridos amigos, aproveitem bem este momento!". Por quê? Porque, depois que saírem daqui, poucas vezes, se é que alguma vez, as pessoas falarão com vocês ou ouvirão vocês do modo como todos nós nos falamos e nos ouvimos aqui, nesta salinha iluminada e com tão poucos móveis. Também não é provável que vocês encontrem com facilidade outras oportunidades de falar sem constrangimento sobre o que foi mais importante para homens tão conscientes dos conflitos da vida quanto Tolstói, Mann e Flaubert. Duvido que saibam o quanto me emociona ouvi-los falar com ponderação e total seriedade sobre solidão, doença, saudade, perda, sofrimento, ilusão, esperança, paixão, amor, terror, corrupção, calamidade e morte... e me emociono porque vocês têm dezenove, vinte anos, a maioria vinda de lares confortáveis de classe média e sem ter vivido ainda experiências muito traumáticas — mas também porque, estranha e tristemente, essa talvez seja a última ocasião em que vocês refletirão de modo sério e sustentado sobre as forças inexoráveis que em algum momento terão de enfrentar, queiram ou não.

Será que ficou mais clara a razão pela qual considero nossa sala de aula, na verdade, o cenário mais adequado para que eu relate minhas experiências eróticas? Será que minhas palavras tornaram mais legítimas as exigências que farei com respeito ao tempo e à paciência de vocês, assim como ao custo de seus estudos universitários? Para que não paire nenhuma dúvida: uma sala de aula é, para mim, o mesmo que uma igreja para o verdadeiro crente. Algumas pessoas se ajoelham durante o serviço de domingo, outros se cobrem com filactérios todas as manhãs... e eu apareço três vezes por semana, de gravata no pescoço e relógio em cima da mesa, a fim de lecionar os grandes romances.

Ah, meus alunos, venho surfando uma onda de grande emoção este ano. Vou falar disso também. Nesse meio-tempo, se possível, tolerem minha sensação de plenitude. Na realidade, só desejo apresentar a vocês minhas credenciais como professor do curso de Literatura 341. Por mais indiscretas, não profissionais e repugnantes que certas partes dessas revelações possam parecer a alguns de vocês, pretendo agora, se me permitem, seguir adiante e contar francamente minha vida pregressa como ser humano. Sou devotado à ficção e asseguro que, no momento oportuno, vou lhes dizer tudo que sei sobre ela, mas de fato nada vive mais intensamente dentro de mim que minha própria vida.

Quando reuni as folhas de papel e me ergui para sair do bar, as duas jovens e bonitas prostitutas continuavam disponíveis, ainda sentadas à minha frente com seus suéteres de lã branca, minissaias de cor pastel, meias arrastão pretas e sapatos de salto alto — parecendo meninas que atacaram o armário da mamãe para se vestir como lanterninhas de um cinema especializado em filmes pornográficos.

"Uma carta para sua esposa?", pergunta a que afaga o cachorro e fala algum inglês.

Não consigo resistir à bola que ela me levanta. "Para os filhos", respondo. Ela acena com a cabeça para a que acaricia o cabelo: sim, as duas conhecem meu tipo. Com dezoito anos, já conhecem todos os tipos.

A amiga diz algo em tcheco e ambas dão uma boa risada. "Boa noite, durma bem gostosinho", diz a espertalhona, me oferecendo um sorriso afetado mas suficientemente inofensivo como lembrança de nosso encontro. Devem achar que tive meu momento de excitação ao pagar um drinque para duas putas. Talvez seja verdade. Elas têm razão.

No quarto, vejo que Claire vestiu a camisola e dorme sob as cobertas. Um bilhete para mim em cima do travesseiro: "Querido, eu te amei tanto hoje. Vou te fazer feliz. C.".

Ah, eu *venci* a parada — a prova está sobre meu travesseiro!

E as frases que carrego nas mãos? Não parecem agora tão prenhes de implicações para meu futuro como quando eu voltava às pressas da Praça da Cidade Velha rumo ao hotel, ansioso por arranjar uma folha de papel onde pudesse redigir *meu* relatório para a *minha* academia. Dobro as páginas e guardo-as com os livros de bolso no fundo da mala junto com o bilhete de Claire prometendo fazer seu querido feliz. Sinto-me absolutamente triunfante: pleno de verdade.

Ao ser acordado bem cedinho por uma porta batendo no andar de baixo — lá onde os búlgaros estão dormindo, um deles sem dúvida com a putinha tcheca e o filhote de *dachshund* —, sinto-me incapaz de reconstruir o sinuoso labirinto onírico que tanto me desafiou e agitou no curso da noite. Eu pensava dormir maravilhosamente, porém acordo suando e, nos primeiros segundos em que o tempo permanece em suspenso, sem noção de onde me encontro e de quem está na cama comigo. Logo depois, misericordiosamente, vejo Claire, um animal quente e grande de minha própria espécie, minha companheira do sexo oposto, e, envolvendo-a nos braços — fazendo com que aquela vibrante criatura se cole a meu corpo todo —, começo a relembrar o longo e ofensivo episódio que dominou meus sonhos. Sou recebido na estação ferroviária por um guia tcheco. Ele se chama X, "como no alfabeto", me explica. Estou certo que é de fato Herbie Bratasky, nosso mestre de cerimônias, mas não deixo que desconfie disso. "E o que você viu até agora?", pergunta X quando desço do trem.

"Ora bolas, nada! Acabo de desembarcar."

"Então tenho uma coisa boa para você começar. Que tal conhecer a puta que Kafka costumava ir ver?"

"Existe tal pessoa? Ela ainda está viva?"

"Quer ou não ir conversar com ela?"

Só respondo depois de me certificar que ninguém está escutando às escondidas. "É tudo que sempre desejei."

"E como foi Veneza sem a sueca?", indaga X quando tomamos o bonde que leva ao cemitério.

"Morta."

O apartamento fica no quinto andar de um prédio decrépito na margem do rio. A mulher que viemos ver tem quase oitenta anos: mãos artríticas, bochechas caídas, cabelos brancos, olhos azuis doces e cristalinos. Vive sentada numa cadeira de balanço com a pensão deixada pelo marido, um anarquista. Pergunto-me como a viúva de um anarquista pode receber uma pensão do governo.

"Ele foi anarquista a vida inteira?", pergunto em voz alta.

"Desde os doze anos", X responde. "Foi quando o pai dele morreu. Uma vez me contou como aconteceu. Ele viu o cadáver do pai e pensou: 'Este homem que sorria para mim e me amava não existe mais. Nunca mais nenhum homem vai sorrir para mim ou me amar como ele. Aonde quer que eu vá, serei um estranho e um inimigo o resto da vida'. Pelo jeito, é assim que se fazem os anarquistas. Suponho que você não seja um anarquista."

"Não. Papai e eu nos amamos até hoje. Acredito no império das leis."

Da janela do apartamento, posso ver a força da correnteza do famoso Moldava. "Ali, meus jovens, na beira do rio", e estou me dirigindo a meus alunos, "fica a *piscina* onde Kafka e Brod nadavam juntos. Vejam, é como eu lhes disse: Franz Kafka realmente existiu, não foi uma invenção de Brod. E eu também realmente existo, ninguém está me inventando, a não ser eu próprio."

X e a velha conversam em tcheco. X me diz: "Eu contei a ela que você é uma renomada autoridade americana na obra do grande Kafka. Pode lhe perguntar o que quiser".

"O que ela achava dele?", pergunto. "Que idade ele tinha quando o conheceu? Quantos anos ela tinha na época? Quando exatamente tudo isso aconteceu?"

X (atuando como intérprete): "Ela diz: 'Ele veio ter um encontro comigo, dei uma olhada nele e pensei: Por que esse rapaz judeu está tão deprimido?'. Ela acha que foi em 1916. Diz que tinha vinte e cinco anos e Kafka uns trinta e poucos".

"Trinta e três", eu digo. "Nascido em 1883. E, como sabemos desde o primário, seis menos três é três, um menos oito não pode e temos de pedir emprestado um do algarismo anterior; onze menos oito é três, oito menos oito é zero e um menos um é zero — por isso trinta e três é a resposta correta à pergunta: Que idade Kafka tinha quando visitou esta puta? Próxima pergunta: Qual é, se é que existe, a relação entre a puta de Kafka e o conto que estamos estudando hoje, intitulado 'O artista da fome'?"

"Que mais você quer saber?", pergunta X.

"Ele conseguia ter ereções normalmente? Costumava atingir o orgasmo? Não há clareza sobre isso em seus diários."

Os olhos dela ganham em expressividade quando responde, embora as mãos deformadas permaneçam inertes no colo. Em meio à torrente indecifrável de tcheco, entendo uma palavra que me causa um arrepio: Franz!

X sacode a cabeça com ar grave. "Ela diz que isso não era problema. Sabia o que fazer com alguém como ele."

Devo perguntar? Por que não? Não vim apenas dos Estados Unidos, mas do desconhecido, ao qual voltarei em breve. "E fazia o quê?"

Sem alterar o tom de voz, ela conta a X o que fazia para excitar o autor de... "Liste as principais obras de Kafka na ordem em que foram escritas. As notas serão afixadas no quadro de avisos do departamento. Todos que desejam obter recomendações para estudos avançados de literatura façam por favor uma fila na porta da minha sala a fim de serem chicoteados até a beira da morte."

X diz: "Ela quer dinheiro. Dinheiro americano, coroas não. Dê a ela dez dólares".

Passo o dinheiro. De que me servirá no esquecimento? "Não, isso não vai cair no exame de fim de ano."

X espera até que ela termine e então traduz: "Chupava o pau dele".

Provavelmente cobrando menos do que eu paguei para saber. O esquecimento existe, assim como a fraude, e sou contra os dois. Claro! Essa mulher não é ninguém, e Bratasky fica com metade.

"E sobre o que Kafka conversava?", pergunto, soltando um bocejo para mostrar a importância que agora dou ao que ela diz.

X traduz a resposta da velha, palavra por palavra: "Não me lembro mais. Talvez já não me lembrasse no dia seguinte. Olhe, aqueles rapazes judeus às vezes não abriam a boca. Como filhotes de passarinho, nem um pio. Mas vou lhe dizer uma coisa: nunca me bateram. E eram limpos. Roupa de baixo limpa. Colarinhos limpos. Nem sonhariam vir aqui com um lenço sujo. É claro que eu lavava todo mundo com um pedaço de pano. Sempre fui muito higiênica. Mas eles nem precisavam. Eram limpos e eram educados. Deus é minha testemunha de que nunca deram tapas na minha bunda. Até na cama tinham bons modos".

"Mas há alguma coisa que ela lembra de Kafka em particular? Não vim aqui para visitá-la, para visitar Praga, a fim de conversar sobre meninos judeus bonzinhos."

Ela reflete um pouco sobre a pergunta; ou, quem sabe, não reflete nada. Só fica lá sentada tentando ver como seria estar morta.

"Veja, ele não tinha nada de especial", ela diz por fim. "Não quer dizer que não fosse bem-educado. Todos eram bem-educados."

Digo a Herbie (recusando-me a continuar fingindo que ele é um tcheco chamado X): "Bem, não sei mais o que perguntar, Herb. Tenho a impressão de que ela pode ter confundido Kafka com outra pessoa".

"A mente da mulher é afiadíssima", retruca Herbie.

"Seja como for, ela não se compara a Brod no domínio do assunto."

A velha puta, talvez sentindo que me dei por satisfeito, volta a falar.

Herbie diz: "Ela quer saber se você gostaria de examinar a xoxota dela".

"Com que objetivo?", pergunto.

"Devo indagar?"

"Ah, por favor, faça isso."

Eva (pois esse, segundo Herbie, é o nome da senhora) dá uma longa explicação. "Ela acredita que possa ter algum interesse literário para você. Outros que, como você, vieram vê-la por causa de sua relação com Kafka demonstraram grande desejo de ver a xoxota dela e, naturalmente, uma vez confirmadas as credenciais deles, ela se dispôs a lhes mostrar. Diz que, como você está aqui por recomendação minha, terá muito prazer em permitir que dê uma olhada rápida."

"Pensei que ela só chupava o pau dele. Realmente, Herb, que interesse posso ter na xoxota dela? Você sabe que não estou em Praga sozinho."

Herbie traduz: "Ela admite francamente que não sabe que interesse alguém possa ter por nenhuma parte de seu corpo. Diz que é grata pelo dinheirinho que consegue ganhar por conta de sua amizade com o jovem Franz, e se sente honrada por seus visitantes serem homens cultos e famosos. Naturalmente, se o cavalheiro não quer examiná-la...".

Mas por que não? Por que vir até o castigado coração da Europa se não para examinar aquilo? Por que vir ao mundo então? "Estudantes de literatura, vocês devem dominar suas suscetibilidades de uma vez por todas! Devem confrontar o que há de mais indecoroso! Devem deixar de bancar os superiores! *Este* é o exame final de vocês."

Iria me custar mais cinco dólares americanos. "Este negócio do Kafka é bem florescente, hem?", comento.

"Para começar, dada sua ocupação profissional, o dinheiro pode ser deduzido dos impostos. Segundo, por apenas cinco dólares você está dando um golpe decisivo contra os bolcheviques: ela é uma das últimas pessoas em Praga que trabalha por conta própria. Terceiro, você ajuda a preservar um monumento literário nacional — prestando um serviço para nossos sacrificados autores. E, não menos importante, pense no dinheiro que deu a Klinger. O que são cinco a mais pela causa?"

"Desculpe. Que causa?"

"Sua felicidade. Só queremos fazê-lo feliz, fazê-lo ser por fim quem você é, querido David. Já basta o quanto você se negou."

Apesar das mãos artríticas, Eva é capaz de erguer o vestido sozinha. No entanto, Herbie precisa segurá-la com um braço para liberar suas nádegas e descer a calcinha dela. Com relutância, dou uma ajuda segurando a cadeira de balanço.

Um ventre de pelica plissada, pernas nuas em ruínas e, surpreendentemente, um triângulo negro aplicado como um bigode. Duvido muito da autenticidade de seus pelos pubianos.

"Ela gostaria de saber", diz Herbie, "se o cavalheiro deseja tocá-la."

"E quanto isso custa?"

Herbie repete minha pergunta em tcheco. E então me comunica a resposta com uma ligeira mesura: "Cortesia da casa".

"Não, muito obrigado."

Mais uma vez ela assegura ao cavalheiro que não lhe custará nada. Mais uma vez o cavalheiro recusa.

Eva então sorri, deixando ver, entre os lábios entreabertos, a língua ainda vermelha. A polpa da fruta ainda vermelha!

"Herb, o que ela acabou de dizer?"

"Acho que não devo repetir, não para você."

"O que foi, Herbie? Faço questão de saber!"

"Uma coisa indecente", ele diz com um risinho maroto, "sobre o que Kafka mais gostava. Seu maior tesão."

"*Era o quê?*"

"Ah, não creio que seu pai gostaria que você ouvisse isso, Dave. Ou o pai do seu pai, e daí por diante até o Pai do Crente e Amigo de Deus. Além disso, talvez tenha sido apenas uma observação maliciosa e gratuita, sem nenhuma base factual. Vai ver ela só disse isso porque você a insultou. Veja bem, ao se recusar a encostar o dedo na sua famosa boceta, você pôs em dúvida — e talvez não de todo inadvertidamente — o próprio significado da vida dela. Ademais, está com medo que você volte para os Estados Unidos e diga a seus colegas que ela é uma fraude. E então nenhum estudioso sério virá mais homenageá-la — o que, naturalmente, significará seu fim e, se me permite, também o fim da iniciativa privada em nosso país. Isso representaria nada mais, nada menos do que a vitória final dos bolcheviques sobre os homens livres."

"Bem, com exceção desse seu novo número sobre a Tchecoslováquia — que, devo reconhecer, poderia enganar a qualquer um menos eu —, você não mudou nada, Bratasky, nem um pouquinho."

"Pena que eu não possa dizer o mesmo de você."

Neste instante, Herbie se aproxima da velha, o rosto dela agora tristemente banhado em lágrimas, e, juntando os dedos como se quisesse colher um fio de água, põe as mãos entre as pernas nuas dela.

"Ui", ela balbucia, "ui, ui." E, cerrando os olhos azuis, esfrega o rosto no ombro de Herbie. Vejo que a ponta da língua se projeta para fora de sua boca. A polpa da fruta, ainda vermelha.

Depois de meu sonho em Praga sobre a visita à puta de Kafka, voamos na manhã seguinte para Paris e três dias depois para Bruges, onde, numa conferência que tinha como tema a literatura moderna europeia, li um ensaio intitulado "A arte da fome". Ao voltarmos de nossa viagem por essas belas cidades, decidimos dividir o aluguel de uma casinha no campo durante os meses de julho e agosto. Como passar melhor o verão? Mas, tomada a decisão, tudo que me vinha à mente era a última vez em que eu havia coabitado com uma mulher, os meses tumulares que antecederam o fiasco de Hong Kong, quando nenhum de nós dois sequer suportava mais ver os sapatos do outro no chão do quarto de vestir. Por isso, antes de assinar o contrato de aluguel da casinha perfeita que havíamos encontrado, sugiro que talvez fosse melhor não sublocar nossos apartamentos na cidade durante aqueles dois meses — um pequeno sacrifício financeiro, é verdade, mas assim sempre haveria um lugar para onde escapar caso alguma coisa desagradável acontecesse. Eu de fato uso a palavra "desagradável". Claire — a terna, prudente e paciente

Claire — compreende muito bem o que quero dizer enquanto continuo tagarelando nesse sentido, caneta na mão, e o agente que redigiu o contrato nos lança olhares mal-humorados do outro lado de seu escritório. Criada por lutadores pesos pesados desde o dia em que nasceu até ser capaz de seguir para a universidade e construir uma vida própria, independente desde os dezessete anos, ela nada tem a opor à ideia de um ninho para onde escapar, como também à de um ninho a ser compartilhado, contanto que seja bom. Não, não alugaremos nossos apartamentos, ela concorda. Ao que, com a solenidade de um comandante em chefe japonês se sentando na belonave de MacArthur para render um império, pespego minha assinatura no contrato.

Uma pequena casa de fazenda de dois andares, revestida de tábuas horizontais pintadas de branco e plantada a meia altura numa colina salpicada de dentes-de-leão e margaridas-do--campo. Trinta e dois quilômetros de uma estrada rural, silenciosa e deserta a separam da cidadezinha das montanhas Catskill, onde fui criado. Preferi o condado de Sullivan a Cape Cod, com o que Claire também concorda — a proximidade ao Vineyard e a Olivia não parecem importar tanto para ela quanto no ano anterior. E, para mim, as colinas verdes e suaves, com as montanhas também verdes vistas à distância através das águas-furtadas, me devolvem a paisagem que eu via do quarto de dormir quando criança — exatamente a vista do quarto no último andar do "Anexo" — e aumentam a sensação que Claire já me transmitiu de que enfim estou em paz com meu verdadeiro eu, de que realmente estou "em casa".

E que bem o verão faz para o eu da gente! O regime diário de natação pela manhã e caminhadas à tarde aprimora nossa forma física, enquanto, por dentro, dia a dia nos tornamos tão gordos quanto os porcos do fazendeiro vizinho. Como minha alma se regozija com o simples fato de acordar num quarto pintado de branco e banhado de sol envolvendo em meus braços o corpo grande e sólido dela. Ah, como adoro sua presença substancial na cama! E o peso daqueles seios em minhas mãos! Ah, como isso é diferente de todos os meses sem fim em que eu acordava tendo apenas o travesseiro para abraçar!

Mais tarde — ainda não são nem onze horas? *Verdade?* — comemos nossa torrada com canela, damos nosso mergulho, vamos até a cidadezinha comprar comida para o jantar, comentamos com preocupação as notícias na primeira página do jornal, e são só dez e quinze? Depois, da cadeira de balanço da varanda onde escrevo pela manhã, a vejo labutando no jardim. Dois cadernos de espiral estão ao meu lado: num deles trabalho no livro planejado sobre Kafka, cujo título será, com base na minha apresentação de Bruges, *A arte da fome*; no outro, cujas páginas me atraem muito mais — e onde estou tendo um êxito relativamente maior —, ataco a substância das aulas cujo prólogo comecei a compor no bar do hotel de Praga, a história de *minha* vida em seus aspectos mais desconcertantes e irritantes, *minha* crônica do imoral, do ingovernável e do excitante... ou (à guisa de título provisório) "Como David Kepesh está sentado numa varanda nas montanhas Catskill, observando prazerosamente enquanto uma professora abstêmia de vinte e cinco anos, nascida em Schenectady, Nova York, se arrasta de gatinhas no jardim metida num macacão que parece lhe ter sido dado pelo próprio Tom Sawyer, o cabelo preso atrás com um pedacinho de arame verde cortado do rolo que ela vem usando para manter de pé suas begônias desfalecentes, o rosto menonita delicado e inocente, pequeno e vivaz como o de um guaxinim, e sujo de terra como se em preparação para a Noite dos Índios no congresso das escoteiras — e a felicidade dele em suas mãos".

"Por que não vem me ajudar com as ervas daninhas?", ela pergunta. "Tolstói faria isso." "Ele era um grande romancista", respondo, "eles precisam fazer esse tipo de coisa para ganhar Experiência. Eu não. Para mim basta ver você se arrastando de joelhos." "Bom, se é isso que te agrada...", ela retruca.

Ah, Clarissa, deixe eu te dizer, *tudo* me agrada. O laguinho onde nadamos. O pomar de macieiras. As tempestades com raios e trovões. O churrasco. As músicas que ouvimos. Conversar na cama. O chá gelado de sua avó. Deliberar sobre o caminho a tomar de manhã e ao entardecer. Ver você curvar a cabeça para descascar os pêssegos e debulhar milho... Ah, nada em especial me agrada. Mas que nada esse! As nações entram em guerra por essa espécie de nada e, na ausência desse nada, as pessoas definham e morrem.

Naturalmente, a essa altura a paixão entre nós não é mais exatamente o que era naqueles domingos em que ficávamos na minha cama agarrados até as três da tarde — "a vida mansa rumo à loucura", como Claire certa vez definiu aquelas atividades sôfregas que nos deixavam no fim de pernas bambas enquanto mudávamos a roupa de cama, nos abraçávamos debaixo do chuveiro e saíamos para tomar um pouco de ar fresco antes que o sol de inverno se pusesse. O fato de que, uma vez iniciadas, nossas relações sexuais houvessem continuado com igual intensidade por quase um ano — o fato de que dois professores diligentes, responsáveis e idealistas pudessem se grudar um no outro como obtusas criaturas marinhas e, no momento do êxtase, chegassem bem perto de arrancar pedaços do outro com mandíbulas canibalescas — bem, isso supera tudo que jamais ousaria prever para mim, eu que já fui além do cumprimento do dever, que já apostei tanto e perdi tanto, ao marchar sob o estandarte vermelho e esfarrapado de Sua Alteza Real, minha luxúria.

Estabilizando-se. O frenesi superaquecido se transmudando numa serena afeição física. É assim que prefiro descrever o que está ocorrendo com nosso amor durante esse bem-aventurado verão. Será que posso pensar de forma diferente — posso realmente acreditar que, em vez de pousar num cálido platô de doce aconchego e intimidade, estou escorregando por um íngreme declive, embora por enquanto ainda longe da caverna fria e solitária onde por fim cairei? Sem dúvida, o leve componente de brutalidade desapareceu de vez; já ficou para trás a mistura de crueldade e ternura, aquelas sugestões de total submissão refletidas nas equimoses arroxeadas, o frêmito de lascívia que vem com a palavra chula sussurrada no auge do tesão. Não *sucumbimos* mais ao prazer nem nos tocamos em qualquer lugar, as carícias e os apertões feitos com aquela insaciável insensatez tão alheia ao que somos em outros momentos. Na verdade, já não sou tanto o animal nem ela é tanto a vagabunda, nenhum de nós continua a ser o lunático voraz, a criança depravada, o violador de nervos de aço, a vítima indefesa da empalação. Os dentes, antes lâminas e pinças, os dentes dolorosos dos filhotes de gatos e cachorros, são de novo apenas dentes, as línguas são línguas, os membros são membros. O que é, sabemos todos, como deve ser.

Do meu lado, não vou brigar por causa disso, ou ficar amuado, ou sentir saudades, ou cair no desespero. Não vou transformar em religião o que está se esvaindo — meu desejo por aquela tigela em que mergulho o rosto como se quisesse extrair a última gota do sumo que não consigo ingerir com suficiente rapidez... a excitação implacável causada por aquele subir e descer da mão envolvente, tão forte, tão rápido, tão obstinado que, se não digo gemendo que não me sobra mais nada, que estou exaurido e entorpecido, ela, naquele estado de fervor radiante que faz fronteira com a impiedade, não irá parar até haver ordenhado a própria vida de meu corpo. Não vou transformar em religião a visão maravilhosa de seu corpo seminu. Não, tenciono eliminar qualquer ilusão sobre a possibilidade de um grande renascimento do drama que aparentemente se aproxima do fim, aquele teatro clandestino e sem censura no qual atuaram nossos quatro egos furtivos — os dois que respiram ofegantes durante a ação, os dois que também ofegantes os observam —, onde a preocupação com o que é higiênico e comedido, tanto quanto a noção da hora do dia ou da noite, não passam de intromissões ridículas. Posso dizer que sou um novo homem — isto é, não sou mais um *novo* homem — e sei quando meu tempo acabou: agora, bastará o simples fato de afagar seus cabelos longos e macios, bastará ficarmos lado a lado na cama todas as manhãs, acordando entrelaçados, acasalados, unidos no amor. Sim, estou disposto a aceitar tais condições. Isto bastará. Não mais *mais*.

E perante quem estou de joelhos tentando fechar tal acordo? Quem decidirá para quão longe de Claire eu irei deslizar? Prezados membros do curso de Literatura 341, vocês imaginariam, tal como eu, que seria e deveria ser eu mesmo.

No fim de tarde de um belíssimo dia de agosto, com quase cinquenta dias semelhantes já guardados na memória e o profundo contentamento de saber que uns vinte outros ainda estão por vir, numa tarde em que minha sensação de bem-estar é ilimitada e não consigo imaginar ninguém mais feliz ou sortudo do que eu, recebo a visita de minha ex-mulher. Vou pensar nisso durante vários dias, supondo, a cada vez que o telefone toca ou ouço um carro subindo a íngreme ladeira até a casa, que é Helen voltando. Vou ficar esperando encontrar uma carta dela toda manhã, informando-me de que fugiu de novo para Hong Kong ou de que está morta. Ao acordar no meio da noite para lembrar como vivi antes e como vivo hoje — e isso ainda acontece de uma forma sistemática demais —, vou me agarrar à minha companheira adormecida como se ela é que tivesse dez anos mais do que eu — vinte, trinta anos mais do que eu — em vez do contrário.

Estou sentado numa cadeira de lona em pleno pomar, as pernas ao sol e a cabeça na sombra, quando ouço o telefone tocar dentro de casa, onde Clarissa está se preparando para ir nadar. Não decidi ainda — de tais decisões se compõe meu dia — se a acompanho ao laguinho ou fico quieto trabalhando até chegar a hora de regar os cravos-de-defunto e abrir a garrafa de vinho. Após o almoço fiquei aqui fora — acompanhado apenas das mamangavas, das borboletas e, vez por outra, de Dazzle, o velho labrador de Claire — lendo Colette e tomando notas para o curso que agora passamos a chamar de Desejo 341. Folheando uma pilha de livros de Colette, tenho me perguntado se existiu nos Estados Unidos algum romancista com uma percepção do que significa dar e receber prazer minimamente parecida com a dela, um escritor, homem ou mulher, tão profundamente movido quanto ela pelos aromas, pelas sensações térmicas e pelas cores, alguém tão compreensivo com respeito à gama de exigências do corpo, tão sintonizado com tudo de sensual que o mundo tem a oferecer, um *connoisseur* das mais sutis gradações do sentimento amoroso, que no entanto se mostra imune a qualquer tipo de fanatismo, excetuada, como em Colette, a devoção radical à autossobrevivência com dignidade. Ela parece ter sido intensamente suscetível a tudo que o desejo pede e promete — "aqueles prazeres descuidadamente chamados de físicos" —, embora de todo intocada pela consciência puritana, por impulsos assassinos ou megalomania, por ambições sinistras ou pela raiva vingativa das injustiças de classe e posição social. Pensa-se nela como uma pessoa egotista, no sentido mais justo e mais cortante da palavra, a mais pragmática das sensualistas, sua capacidade de autoanálise como forma de se proteger em perfeito equilíbrio com a capacidade de se abandonar...

A primeira página de meu bloco amarelo está salpicada e rabiscada com as aberturas fragmentárias de um esboço de aula

— descendo por uma margem, há uma longa lista de romancistas modernos, tanto europeus quanto americanos, entre os quais o paganismo decente, robusto e burguês de Colette ainda me parece único... e então Claire sai pela porta de tela da cozinha vestindo o maiô e carregando o roupão branco dobrado no braço. Traz na mão o livro de Musil *Jovem Törless*, que eu havia acabado de anotar na noite anterior. Como me encanta a curiosidade dela com relação aos livros que serão objeto de minhas aulas! E ver, de baixo, a protuberância de seus seios acima da alça do biquíni, bem, essa é outra das satisfações desse dia maravilhoso.

"Me diga", pergunto, agarrando a panturrilha de sua perna mais próxima, "por que não há uma Colette americana? Ou será que Updike é quem mais se aproxima dela? Certamente não é Henry Miller. Certamente não é Hawthorne."

"Telefone para você", ela diz. "Helen Kepesh."

"Meu Deus." Olho o relógio, como se isso ajudasse em alguma coisa. "Que horas serão na Califórnia? O que ela pode estar querendo? Como me encontrou?"

"É uma chamada local."

"*Local?*"

"Acho que sim, isso mesmo."

Ainda não me levantei da cadeira. "E foi assim que ela falou, Helen *Kepesh?*"

"Foi."

"Mas eu achei que ela tivesse voltado a usar seu sobrenome."

Claire dá de ombros.

"Você disse que eu estava aqui?"

"Quer que eu diga que não está?"

"O que é que ela *quer?*"

"Vai ter que perguntar a ela", Claire responde. "Ou talvez não pergunte."

"Seria muito errado se eu apenas fosse lá e desligasse o telefone?"

"Errado não, só injustificadamente ansioso."

"Mas eu me *sinto* injustificadamente ansioso. Me sinto injustificadamente *feliz*. Isso tudo é tão perfeito." Abro os dez dedos em torno da macia protuberância de carne na parte de cima de seu maiô. "Ah, minha parceira querida."

"Vou esperar aqui", ela diz.

"E eu vou nadar com você."

"Está bem. Ótimo."

"Então espere!"

Ao ver o telefone em cima da mesa da cozinha, eu penso que não seria nem cruel nem covarde... seria simplesmente a coisa mais sensata que eu poderia fazer. Até porque Helen ainda é uma das seis pessoas que estão mais ligadas à minha vida.

"Alô", digo.

"Ei, ah, ei. Olhe, fico meio sem jeito de telefonar, David. Quase não liguei. Só que, se não me engano, estou na sua cidade. Estamos num posto da Texaco em frente a uma imobiliária."

"Sei."

"Acho que não seria certo ir embora sem ao menos telefonar. Como vai você?"

"Como é que você soube que eu estava passando uns tempos aqui?"

"Tentei falar com você em Nova York há alguns dias. Telefonei para a universidade, e a secretária do departamento disse que não estava autorizada a dar seu endereço no verão. Eu disse que era uma ex-aluna e que você não se importaria. Mas ela foi inflexível sobre a privacidade do professor Kepesh. Uma verdadeira muralha, essa senhora."

"E então como foi que me descobriu?"

"Falei com os Schonbrunn."

"Só me faltava essa."

"Mas parar aqui para encher o tanque foi mero acaso. Estranho, eu sei, mas é verdade. E, afinal de contas, nem tão estranho assim, do jeito que as coisas verdadeiramente estranhas acontecem."

Ela está mentindo e não me sinto atraído. Pela janela, vejo Claire segurando o livro fechado. Já podíamos estar no carro descendo para o laguinho.

"O que você quer, Helen?"

"Quer dizer, de você? Nada, nada mesmo. Estou casada agora."

"Eu não sabia."

"É o que eu estava fazendo em Nova York. Visitando a família do meu marido. Estamos a caminho de Vermont, onde eles têm uma casa de veraneio." Ela ri, um riso muito atraente. Faz com que me lembre dela na cama. "Você acredita que eu nunca estive na Nova Inglaterra?"

"Bom", eu digo, "não é exatamente Rangum."

"Rangum já era."

"Como vai sua saúde? Ouvi dizer que você andou bastante doente."

"Estou melhor agora. Passei uns tempos difíceis. Mas acabou. Como vai *você*?"

"Meus tempos difíceis também acabaram."

"Eu gostaria de te ver, se possível. Estamos muito longe da sua casa? Gostaria de conversar com você só um pouquinho..."

"Sobre o quê?"

"Te devo algumas explicações."

"Não deve nada. Como eu também não te devo. Acho que, a esta altura, nós dois ficaríamos melhor sem as explicações."

"Eu estava louca, David, estava enlouquecendo... David, é difícil dizer essas coisas cercada de latas de óleo de motor."

"Então não diga."

"Tenho que dizer."

Sentada lá fora na minha cadeira, Claire agora passa os olhos no *Times*.

"Acho melhor você ir nadar sem mim", eu lhe digo. "Helen vem aqui com o marido."

"Ela se casou?"

"É o que está dizendo."

"Então por que disse ser Helen 'Kepesh'?"

"Provavelmente para se identificar para você. Para mim."

"Ou para si própria", diz Claire. "Você acha melhor que eu não esteja aqui?"

"Claro que não. Achei que *você* preferiria ir nadar."

"Só se *você* preferir..."

"Não, de jeito nenhum."

"Onde eles estão agora?"

"No centro da cidade."

"Ela veio até aqui...? Não entendo. E se não estivéssemos em casa?"

"Ela diz que estão a caminho da casa da família dele em Vermont."

"E não pegaram a autoestrada?"

"Querida, o que há com você? Não, não pegaram a autoestrada. Talvez estejam indo pelas estradas locais para apreciar a paisagem. Que diferença faz? Eles chegam e depois vão embora. Foi *você* quem falou para eu não ficar injustificadamente ansioso."

"Mas não quero que você saia machucado."

"Não se preocupe. Se é por isso que você está ficando..."

Neste momento, ela se levanta de supetão e, à beira do choro (coisa que nunca vi), diz: "Olhe, é tão óbvio que você quer me ver longe...". Rapidamente, caminha para onde nosso carro está estacionado do outro lado da casa, no terreno empoeirado próximo ao celeiro em ruína. E eu corro atrás dela, um passo atrás do cachorro, que pensa que tudo não passa de uma brincadeira.

Por causa disso, estamos ao lado do celeiro, esperando juntos, quando o casal Lowery chega. Enquanto o carro deles percorre a longa subida de terra até a casa, Claire veste o roupão por cima do maiô. Eu estou de shorts de veludo cotelê, uma velha e desbotada camiseta e tênis estropiados, coisas que já tenho desde os tempos da Universidade de Syracuse. Helen não terá dificuldade em me reconhecer. Mas será que eu a reconhecerei? Serei capaz de explicar a Claire — devo fazê-lo? — que, na verdade, tudo que quero é *ver*...

Eu tinha ouvido dizer que, além das doenças debilitantes, ela engordara uns dez quilos. Nesse caso, já havia perdido todos eles e alguns mais. Saiu do carro com a aparência de sempre. Pele mais clara do que eu me recordava — ou melhor, ela não é pálida no estilo despojado das seguidoras de seitas religiosas a que agora estou acostumado. A palidez de Helen é luminosa, transparente. Só na magreza dos braços e do pescoço há alguma indicação de que ela teve problemas de saúde, além de ser agora uma mulher de trinta e tantos anos. Fora isso, é a Criatura Deslumbrante de outros tempos.

Seu marido aperta minha mão. Eu esperava alguém mais alto e mais velho — suponho que seja comum esse tipo de expectativa. Lowery exibe uma barba preta cortada bem rente, óculos de aros de tartaruga redondos, um corpo compacto, poderoso e atlético. Ambos vestem jeans e camisas polo, usam sandálias e cortaram o cabelo no estilo príncipe Valente. A única joia que ela usa é a aliança. Nada disso significa muito para mim. Talvez as esmeraldas estejam guardadas num cofre da casa deles.

Contornamos a casa como se eles fossem compradores em potencial mandados até lá pelos corretores imobiliários, para ver a propriedade. Como se fossem os novos vizinhos que moram mais abaixo na estrada e tivessem vindo se apresentar; como se fossem o que eram — a ex-esposa com seu marido novo, alguém que agora nada significava, um artefato de pequeno interesse histórico descoberto em uma rotineira escavação arqueológica. Sim, eu ter ensinado a ela o caminho para nossa toca perfeita comprovou não ter sido um erro tolo nem, Deus sabe, algo *perigoso*. De outro modo, como eu poderia ter sabido que também havia sido completamente "deselenizado", que aquela mulher não podia nem me ferir nem me seduzir, que eu estava a salvo de feitiços que não partissem dos mais amorosos e benignos espíritos femininos? Claire estava certa ao me alertar para a ansiedade injustificada, antes, naturalmente, de ela própria — sem dúvida devido à minha confusão após desligar o telefone — haver se tornado injustificadamente ansiosa.

Claire segue na frente com Les Lowery. Dirigem-se ao carvalho enegrecido e arruinado próximo da borda da mata. No começo do verão, durante uma intensa tempestade que durou o dia inteiro, a árvore havia sido atingida por um raio e cortada ao meio. Enquanto caminhávamos em volta da casa e pelo jardim, Claire vinha falando, algo febrilmente, sobre os fortes temporais dos primeiros dias de julho — algo febrilmente e algo infantilmente. Eu não havia imaginado o quão ameaçadora Helen pareceria a ela à luz das histórias de confusão em que se envolvera; suponho que não houvesse me dado conta do número de vezes que as relatei nos primeiros meses em que estivemos juntos. Não admira que Claire tenha se pendurado no marido caladão, que de fato dá a impressão de estar mais próximo dela em termos de idade e de temperamento, e que, como se verificou, também é assinante da revista *Natural History* e da *Audubon Magazine*. Alguns minutos antes, na varanda, ela identificara para o casal as conchas raras de Cape Cod expostas numa bandeja de palha no centro da mesa de jantar, entre os castiçais antigos de estanho ganhos de presente da avó ao se formar na universidade.

Enquanto minha companheira e o companheiro dela examinam o tronco incinerado do carvalho, Helen e eu voltamos lentamente para a varanda. Ela ainda está contando tudo sobre ele: advogado, alpinista, esquiador, divorciado, com duas filhas adolescentes; em parceria com um arquiteto, já amealhou uma pequena fortuna construindo e vendendo casas; ultimamente seu nome apareceu nos jornais pelo trabalho que vem realizando como consultor jurídico de uma comissão da Câmara Legislativa da Califórnia que investiga as ligações entre o crime organizado e a polícia do condado de Marin... Lá fora, vejo que Lowery deixou o carvalho para trás e entrou na trilha que cruza a mata em direção às íngremes formações rochosas que Claire tem fotografado ao longo do verão. Claire e Dazzle rumam de volta para casa.

Digo a Helen: "Ele parece jovem demais para ser um verdadeiro Kariênin".

"Tenho certeza de que eu também seria sardônica", ela retruca, "se eu fosse você e pensasse que eu continuava sendo a mesma pessoa. Fiquei surpresa até de você atender o telefone. Mas é porque você é um sujeito correto. Na verdade, sempre foi."

"Ei, Helen, pare com isso! Guarde o 'sujeito correto' para a minha lápide. Talvez você tenha criado uma vida nova, mas essa linguagem..."

"Tive muito tempo para pensar durante minha doença. Pensei sobre..."

Porém não quero saber. "Me diga", interrompo, "como foi sua conversa com os Schonbrunn?"

"Falei com Arthur. Ela não estava em casa."

"E como ele reagiu ao ouvir você depois de tanto tempo?"

"Ah, levou numa boa."

"Francamente, fico surpreso de que ele tenha se oferecido para te ajudar. Estou surpreso de você lhe haver pedido. Se bem me lembro, ele nunca foi um grande fã seu — nem você deles."

"Arthur e eu mudamos de opinião um sobre o outro."

"Desde quando? Você costumava gozá-lo um bocado."

"Parei com isso. Não ridicularizo as pessoas que reconhecem o que desejam. Ou pelo menos que reconhecem o que não têm."

"E o que Arthur deseja? Está querendo me dizer que, durante todo aquele tempo, Arthur desejava *você*?"

"Não sei se durante todo aquele tempo."

"Ah, Helen, acho difícil acreditar nisso."

"Nunca ouvi nada mais fácil de acreditar."

"E no que exatamente eu devo acreditar?"

"Quando voltamos de Hong Kong. Quando você foi embora de casa e me deixou sozinha, ele telefonou uma noite e perguntou se podia aparecer para conversarmos. Estava muito preocupado com você. Por isso, foi direto da universidade — lá pelas nove da noite — e falou sobre a sua infelicidade por quase uma hora. Eu disse finalmente que não sabia o que aquilo ainda tinha a ver comigo, e então ele me perguntou se podíamos nos encontrar para um almoço em São Francisco. Respondi que não sabia, eu mesmo estava me sentindo muito infeliz, e ele me beijou. E então me fez sentar e se sentou para explicar em detalhe que não esperava ter feito aquilo e que o beijo não significava o que eu pensava que significava. Ainda era feliz no casamento, e mesmo após todos aqueles anos mantinha uma forte relação física com Debbie, na verdade devia a ela sua própria vida. Contou então uma história aflitiva sobre uma garota louca, uma bibliotecária com quem ele quase havia se casado em Minnesota, e como ela o atacara com um garfo no café da manhã e o enfiara em sua mão. Ele sabia muito bem o risco que havia corrido se tivesse cedido e se casado com ela — acha que a coisa teria terminado em assassinato. Mostrou a cicatriz da garfada. Disse que sua salvação foi encontrar Debbie, que ele deve tudo que conquistou à devoção e ao amor dela. E aí tentou me beijar outra vez. Quando eu disse que não achava aquilo uma boa ideia, ele respondeu que eu estava totalmente certa, que havia me julgado muito mal e que ainda desejava almoçar comigo. Como eu não queria mais nenhuma confusão, disse que sim. Ele marcou o almoço em Chinatown, num lugar em que, posso assegurar, ninguém que ele conhecia, que eu conhecia ou que *qualquer um* conhecia poderia nos ver juntos. E ficou nisso. Mas no verão em que eles se mudaram para o Leste começou a me mandar cartas. Ainda recebo algumas, de meses em meses."

"Continue. O que elas dizem?"

"Ah, são muitíssimo bem escritas", ela diz, sorrindo. "Ele deve escrever algumas daquelas frases dez vezes antes de se dar por satisfeito. Acho que deve ser a espécie de carta que o editor de poesia da revista universitária escreve de madrugada para sua namorada na Smith. 'Um dia tão despojado e límpido como uma espinha de peixe', esse tipo de coisa. E às vezes ele inclui versos dos grandes poemas sobre Vênus, Cleópatra e Helena de Troia."

"'Vede, foi esta a mulher que o mundo desejou.'"

"Tem razão, esse é um dos versos. Na verdade, achei meio ofensivo. Só que não deve ser, se é tão famoso. Seja como for, ele sempre me faz saber que não preciso responder, e por isso não respondo. Por que você está rindo? É mesmo muito simpático da parte dele. É *alguma coisa*. Quem poderia imaginar que ele faria isso?"

"Estou rindo", respondo, "porque eu também recebi algumas cartas do casal Schonbrunn — no caso, dela."

"Ah, *essa* é difícil de acreditar."

"Não, não se você as lesse. Nenhum verso famoso para mim."

Claire ainda está a mais de dez metros de distância, porém nós dois paramos de falar quando ela se aproxima da casa. Por quê? Quem saberá!

E seria tão bom se não tivéssemos nos calado! Por que não falei qualquer besteira ou contei uma piada, *recitei* um poema, *qualquer coisa* para que Claire não abrisse a porta de tela e se deparasse com um silêncio conspiratório. Se não me visse sentado diante de Helen, enfeitiçado a despeito de mim mesmo.

De imediato ela se petrifica — e toma uma decisão. "Vou nadar."

"O que aconteceu com o Les?", pergunta Helen.

"Foi passear."

"Tem certeza de que não quer tomar um chá gelado?", pergunto a Claire. "Por que todos nós não tomamos um chá gelado?"

"Não, tchau." Um simples monossílabo juvenil de despedida para a visitante, e Claire vai embora.

De onde estou sentado posso ver nosso carro descendo a colina em direção à estrada. O que Claire pensa que estamos tramando? *O que* estamos tramando?

Quando o carro desaparece de vista, Helen diz: "Ela é muito especial".

"Eu sou um 'sujeito correto'."

"Sinto muito se aborreci sua amiga ao vir aqui. Não era minha intenção."

"Ela vai ficar bem. É uma garota forte."

"Não quero te criar nenhum problema, não foi para isso que quis te ver."

Fico em silêncio.

"Eu já quis que você se desse mal, não posso negar", ela diz.

"Você não foi a única responsável pelo que sofremos."

"O que você me fez foi sem querer; fez porque foi provocado. Mas acho agora que, realmente, desde o começo eu quis te torturar."

"Você está reescrevendo a história, Helen. Não é necessário. Nós atormentamos um ao outro, sem dúvida, mas não foi por maldade. Foi confusão, foi ignorância, e foram outras coisas também; se fosse por maldade não teríamos ficado juntos por muito tempo."

"Eu queimava a merda daquela torrada de propósito."

"Se bem me lembro, a merda dos ovos é que eram queimados. A merda da torrada nunca era posta para esquentar."

"Eu não punha suas cartas no correio de propósito."

"Por que está dizendo essas coisas? Para se castigar, para ser absolvida de alguma forma ou só para me chatear? Mesmo que seja verdade, não quero saber. Isso tudo está morto e acabado."

"Eu sempre odiei a maneira como as pessoas jogam fora seu tempo. Você sabe que eu tinha planejado uma vida espetacular."

"Eu me lembro."

"Bom, isso tudo também está morto. Agora pego o que posso e agradeço o que tenho."

"Ah, não exagere essa história de 'arrependimento', se é disso que se trata. Pelo que você me contou, o sr. Lowery não é nenhum refugo. Nem parece ser. Dá a impressão de ser uma pessoa com muita personalidade, que sabe o que vale. Alguém com muita influência, para encarar a máfia e a polícia ao mesmo tempo. Um homem público de fato muito corajoso. Perfeito para você. Certamente, tudo indica que um foi feito para o outro."

"É mesmo?"

"Você está linda", eu digo, e me arrependo um segundo depois. Por isso continuo: "Está muito bem".

Pela primeira vez desde que Claire entrou na varanda, voltamos a nos calar. Nos encaramos sem piscar, como estranhos que ousam, finalmente, se olhar de frente e sem rodeios — o prelúdio para mergulhar de cabeça na mais desavergonhada e excitante cópula. Suponho que não há como evitar um pouco — ou um pouquinho mais que um pouco — de flerte. Talvez eu deva dizer isso. Mas, por outro lado, talvez seja melhor não dizer. Quem sabe eu devo simplesmente desviar os olhos.

"Que doença você teve?", pergunto.

"Doença? Parecia que era tudo ao mesmo tempo. Devo ter ido a uns cinquenta médicos. Não fazia outra coisa senão sentar em salas de espera, tirar radiografias, tirar sangue, tomar injeções de cortisona, esperar nas farmácias para aviarem as receitas e engolir as pílulas na esperança de que me curassem ali mesmo. Você precisava ver meu armário de remédios. Em vez dos deliciosos cremes e loções da condessa Olga, vidrinhos e mais vidrinhos de pílulas horríveis — e nenhuma fazia o menor efeito, a não ser arrebentar com o meu estômago. Meu nariz não parou de correr por mais de um ano. Eu espirrava horas seguidas, não podia respirar, o rosto inchado, os olhos coçando o tempo todo, e aí comecei a ter erupções de pele pavorosas. Quando eu ia dormir, rezava para que elas desaparecessem como haviam chegado, que de manhã tivessem ido embora. Um alergista disse que eu me mudasse para o Arizona, outro que isso não ia adiantar porque estava tudo na minha cabeça, e outro ainda explicou em pormenores como eu era alérgica a mim mesma, ou coisa parecida. Aí fui para casa, deitei na cama, cobri o rosto com o lençol e sonhei acordada que todo o sangue do meu corpo era tirado e substituído pelo de outra pessoa, um sangue que ia me servir para o resto da vida. Quase enlouqueci. Algumas manhãs eu tinha vontade de me jogar pela janela."

"Mas acabou melhorando."

"Comecei a me encontrar com o Les", diz Helen. "Acho que isso é que ajudou. Os sintomas começaram a desaparecer, um por um. Eu não sabia como ele conseguia me suportar. Eu estava horrorosa."

"Talvez não tão horrorosa quanto imaginava. Parece que ele se apaixonou por você."

"Depois de curada tive medo. Pensei que, sem ele, ia começar a me sentir mal outra vez. E começar a beber de novo — porque, sei lá como, ele também me fez parar com isso. Na primeira noite em que foi me buscar, irradiando tanta força, confiança e macheza, eu disse a ele: 'Olhe, sr. Lowery, tenho trinta e quatro anos, estou muito mal de saúde e não gosto de ser enrabada'. E ele respondeu: 'Sei qual é a sua idade, todo mundo fica doente de vez em quando e enrabar não é o meu forte'. Então saímos, ele demonstrou uma autoconfiança maravilhosa e se apaixonou por mim — e, naturalmente, adorou poder me salvar. Mas eu não me apaixonei por ele. Quis terminar várias vezes. Só que, quando acabava, quando devia ter acabado, eu me sentia tão assustada... Por isso nos casamos."

Não respondo. Olho para o lado.

"Vou ter um filho", ela diz.

"Parabéns. Quando?"

"Tão logo eu puder. Você entende, não me importo mais em ser feliz. Deixei isso para lá. Tudo o que eu quero é não ser torturada. Faço qualquer coisa. Tenho dez filhos, tenho vinte, se ele quiser. E talvez ele queira. Ele é um homem, David, que não tem nenhuma dúvida sobre si próprio. Tinha mulher e dois filhos enquanto cursava direito — já estava no ramo imobiliário na faculdade —, e agora quer uma segunda família, comigo. E eu vou topar. O que mais ela *pode* fazer, aquela que um dia o mundo desejou? Ser dona de uma lojinha chique de antiguidades? Ser uma dessas belezas desvanecidas? Formar-se e dirigir uma empresa? Ser uma dessas beldades decadentes?"

"Se você não pode ter vinte anos e velejar em meio aos juncos ao entardecer... Mas já discutimos isso. Não é mais assunto meu."

"E qual é o seu assunto? Casar com a srta. Ovington?"

"Talvez."

"O que te impede?"

Não respondo.

"Ela é jovem, é bonita, é inteligente, é educada e, debaixo daquele roupão, parece ter um belo corpo. E, de quebra, ainda tem um ar infantil e de inocência que eu com certeza nunca tive. Alguma coisa de quem sabe se contentar, se entende o que quero dizer. Como é que eles ficam assim, você sabe? Como podem ser tão *bons* e tão *boas*? Achei que ela seria um pouco assim. Boa, bonita e inteligente. Leslie é bom, bonito e inteligente. Ah, David, como você suporta isso?"

"Porque eu também sou bom, bonito e inteligente."

"Não, meu velho amigo, não do jeito que nós éramos. Eles são assim por natureza, ingenuamente. Por mais que você resista, não é exatamente o mesmo, nem para um mestre da repressão como você. Você não é um deles, como também não é o pobre Arthur Schonbrunn."

Não respondo.

"Será que ela não te enlouquece um pouco por ser tão boa, bonita e inteligente?", Helen pergunta. "Com suas conchas, o canteiro de flores, o cachorrinho de estimação e as receitas coladas na parede acima da pia?"

"É isso que você veio aqui me dizer, Helen?"

"Não. Não foi. Claro que não. Não vim aqui para dizer *nenhuma* dessas coisas. Você é um sujeito inteligente — sabe muito bem por que eu vim. Para mostrar meu marido. Para te mostrar como eu mudei, obviamente para melhor... e outras mentiras desse tipo. Pensei que eu fosse capaz até de me enganar. David, eu vim aqui porque queria conversar com um amigo, embora isso possa parecer estranho neste momento. Às vezes penso em você como o único amigo que me resta. Não é esquisito? Quase te chamei uma noite — mas sabia que não é mais assunto seu agora. Sabe, estou grávida. Quero que me diga uma coisa. Me diga o que você acha que eu devo fazer. Alguém tem de dizer. Estou grávida há dois meses e, se eu esperar mais tempo, bem, aí preciso seguir em frente e ter o filho. E não suporto mais ele. A verdade é que eu não suporto ninguém. Tudo que todo mundo diz está errado de um jeito ou de outro, e me deixa furiosa. Não quer dizer que eu discuta com as pessoas. Não ousaria. Ouço, concordo com a cabeça e sorrio. Você precisa ver como eu agrado as pessoas ultimamente. Ouço o Les, sacudo a cabeça e sorrio, e acho que vou morrer de tédio. Não há nada que ele faça que não me mate de irritação. Mas nunca mais vou poder ficar doente sozinha como fiquei. Eu não ia resistir. Aguento a solidão e também aguento a dor física, mas nunca mais vou passar pelas duas juntas de novo. Foi horrível e durou muito tempo, não tenho coragem de enfrentar outra. Preciso ter essa criança. Preciso dizer a ele que estou grávida — e ter a criança. Porque, se eu não tiver, não sei o que vai acontecer comigo. Não posso abandoná-lo. Tenho muito medo de voltar a ficar doente, me coçando até morrer, incapaz de respirar — e de nada ajuda me dizerem que está tudo na minha cabeça, porque isso não faz a coisa desaparecer. Só ele consegue. Sim, foi *ele* quem fez tudo ir embora! Ah, é tudo tão doido. Nada disso tinha que acontecer! Porque se aquela mulher do Jimmy tivesse sido atropelada quando ele preparou tudo, a coisa seria diferente. Eu teria tudo que eu quisesse. E nem teria pensado duas vezes nela. Goste ou não goste, essa é a verdade sobre mim. Eu não sentiria um só momento de culpa nojenta. Ficaria bem feliz. E ela teria recebido o que merecia. Mas, em vez disso, fui boa — e ela tornou nós dois miseráveis. Recusei-me a ser má, e o resultado é esta infelicidade medonha. Cada noite é um pesadelo, rolo na cama pensando como não amo *ninguém*."

Por fim, vejo Lowery saindo da mata e descendo a colina em direção à casa. Ele tirou a camisa, que carrega na mão. É um jovem forte e bonitão, um homem de sucesso no mundo, sua presença na vida dela de alguma forma ajudou a curá-la... Só que, para azar de Helen, ela não o suporta. Ainda Jimmy — ainda aqueles sonhos sobre o que poderia e deveria ter sido, caso a repugnância moral não houvesse intervindo.

"Talvez eu venha a amar a criança", ela diz.

"Talvez sim", eu digo. "Isso às vezes acontece."

"Mas também posso odiar meu filho", retruca Helen, implacável, levantando-se para receber o marido. "Imagino que isso também acontece às vezes."

Depois que eles se vão — tal como o jovem casal de vizinhos, com sorrisos e votos gerais de felicidade —, visto o calção de banho e ando o quilômetro e meio estrada abaixo até o laguinho. Nada penso e nada sinto, estou entorpecido, como alguém nas proximidades de um acidente terrível ou de uma explosão que tem a visão fugidia e assustadora de uma poça de sangue mas segue adiante, incólume, tocando suas atividades cotidianas.

Algumas criancinhas brincam com pás e baldes à beira d'água, supervisionadas pelo cachorro de Claire, e uma moça contratada para ajudar a tomar conta delas, que levanta os olhos e diz "Oi". Ela está lendo, por incrível que pareça, *Jane Eyre*. Vejo o roupão de Claire sobre uma pedra onde sempre colocamos nossas coisas, e então a localizo tomando sol na balsa.

Quando chego a seu lado, me dou conta de que andou chorando.

"Me desculpe por ter agido daquele jeito", ela diz.

"Nada disso, bobagem. Nós dois ficamos confusos. Essas coisas nunca dão muito certo."

Ela começa a chorar de novo, tão silenciosamente quanto é possível chorar. São as primeiras lágrimas dela que eu vejo.

"O que há, minha querida, o quê?"

"Me acho com tanta sorte. Tão privilegiada. Eu te amo. Você se tornou toda a minha vida."

"Verdade?"

Isso a faz rir. "Você se assusta um pouco de ouvir isso. Imagino que sim. Não pensei que fosse verdade até hoje. Mas nunca me senti tão feliz como me sinto agora."

"Clarissa, por que você ainda está tão nervosa? Não há nenhuma razão para isso, há?"

Voltando o rosto para a balsa, ela murmura alguma coisa sobre seu pai e sua mãe.

"Claire, não consigo te ouvir."

"Queria que eles nos visitassem."

Fico surpreso, porém digo: "Então os convide".

"Convidei."

"Quando?"

"Não importa. Só que pensei... bem, não pensei."

"Escreveu para eles? Me explique, por favor. Gostaria de saber o que há de errado."

"Não quero falar sobre isso. Foi uma bobagem, um sonho. Perdi um pouco a cabeça."

"Telefonou para eles."

"Foi."

"Quando?"

"Um pouco antes."

"Quer dizer, depois que saiu de casa? Antes de vir para cá?"

"É, lá na cidade."

"E?"

"Nunca deveria ter telefonado para eles sem avisar. Nunca faço isso. Nunca funciona e nunca vai funcionar. Mas à noite, quando estamos jantando, quando estamos tão contentes e tudo está calmo e maravilhoso, sempre começo a pensar neles. Ponho um disco para tocar, começo a preparar o jantar, e lá estão eles."

Eu não sabia disso. Ela nunca fala sobre o que não tem, jamais desperdiça um só momento com perdas, infelicidades ou desapontamentos. Seria necessário torturá-la para ouvir alguma queixa. É a pessoa comum mais incomum que conheci. "Ah", ela diz, se sentando, "ah, vai ser bom quando o dia de hoje acabar. Você tem ideia de quando isso vai acontecer?"

"Claire, você quer ficar aqui comigo, quer ficar sozinha, quer nadar, ou quer voltar para casa e tomar um chá gelado e descansar um pouco?"

"Eles já foram embora?"

"Claro, já foram."

"E você está bem?"

"Estou ileso. Uma hora ou duas mais velho, mas ileso."

"Como foi a coisa?"

"Nada agradável. Você não simpatizou com ela, eu sei, mas a mulher não está numa boa... Olhe, não precisamos falar disso agora. Não precisamos falar nunca. Quer voltar para casa?"

"Ainda não", diz Claire. Dá um mergulho da beirada da balsa, desaparece enquanto eu conto lentamente até dez e então emerge junto à escadinha. Quando volta a se sentar a meu lado, diz: "Há uma coisa que é melhor conversarmos agora. Mais uma coisa que eu acho melhor dizer. Eu estava grávida. Não ia te contar, mas vou".

"Grávida de quem? Quando?"

Um sorriso melancólico. "Na Europa, meu amor. De você. Tive certeza quando voltamos para casa. Fiz um aborto. Aquelas reuniões a que eu fui... bem, passei o dia no hospital."

"E a 'infecção'?"

"Não tive nenhuma infecção."

Helen está no segundo mês de gravidez e eu sou a única pessoa que sabe. Claire tinha sido engravidada por mim, e eu não soube de nada. É verdade, sinto alguma coisa muito triste no fundo das confidências e segredos deste dia, mas agora estou fraco demais para me aprofundar nisso. De fato, mais esgotado do que eu imaginara por tudo que cercou a visita de Helen, estou pronto a admitir que é alguma coisa sobre mim que explica a tristeza; como sempre fracassei em ser o que as pessoas desejavam ou esperavam; como nunca agradei inteiramente a ninguém, inclusive a mim mesmo; como, por mais que haja tentado, nunca fui capaz de ser uma coisa ou outra, e provavelmente jamais serei... "Por que você fez isso sozinha?", pergunto. "Por que não me contou?"

"Bom, foi justamente quando você estava se soltando, e achei que isso tinha de acontecer sem nada para atrapalhar. Você estava se rendendo a alguma coisa, e sempre tinha de estar claro para nós dois exatamente do que se tratava. Está entendido?"

"Mas você queria."

"O aborto?"

"Não, a criança."

"Quero ter um filho, claro. Quero ter um filho com você — não consigo imaginar com mais ninguém. Mas só depois que você estiver pronto para isso."

"E quando você fez tudo isso, Claire? Como eu pude *não* saber?"

"Ah, dei um jeito. David, o importante é que eu não ia nem querer que você quisesse até eu ter certeza de que o que vai te deixar feliz sou eu e a minha maneira de ser, é a nossa vida em comum. Não quero fazer ninguém infeliz. Não quero causar dor a ninguém. Nunca quis ser a prisão de ninguém. Esse é o pior destino que posso imaginar. Por favor, me deixe só dizer o que preciso — você não tem que falar nada sobre o que teria dito ou não dito caso eu houvesse te contado o que estava fazendo. Eu não queria que você tivesse nenhuma responsabilidade, a responsabilidade não é sua nem pode ser. Se foi cometido algum erro, ele é meu. Neste instante só quero te dizer algumas coisas, e quero que você as ouça. Depois vamos para casa e preparo o jantar."

"Estou te ouvindo."

"Querido, eu não estava com ciúme dela, longe disso. Sou suficientemente bonita, sou jovem e, graças a Deus, não sou "durona" ou "experiente", se é assim que algumas mulheres são chamadas. Na verdade, não tive medo de nada que ela pudesse fazer. Se eu me sentisse tão insegura, não estaria vivendo aqui. Fiquei um pouco confusa quando você quis me enxotar, mas só voltei para casa porque queria pegar a câmera. Ia tirar algumas fotos dos dois juntos. Achei que era uma maneira tão boa quanto qualquer outra de fazer passar o tempo durante aquela visita. Mas quando vi você sentado sozinho com ela de repente pensei: 'Não posso fazê-lo feliz. Não vou ser capaz disso'. E também fiquei em dúvida se alguém poderia. Isso me chocou tanto que simplesmente tive de ir embora. Não sei se o que pensei é verdade ou não. Talvez você também não saiba. Ou talvez saiba. Seria muito doloroso deixar você agora, neste instante, mas estou preparada para fazê-lo se for a coisa certa. Melhor agora do que daqui a três ou quatro anos, quando você for parte do próprio ar que eu respiro. Não é o que eu quero, David; não é alguma coisa que eu esteja minimamente propondo. Quem diz esse tipo de coisas corre um risco terrível de ser mal compreendido, e, por favor, não me compreenda mal. Não estou propondo nada. Mas, se você acha que sabe a resposta à minha pergunta, eu gostaria de conhecê-la o mais cedo possível, porque, se você não puder ser realmente feliz comigo, então me deixe ir para Vineyard. Sei que posso ficar lá com a Olivia até o começo das aulas. Depois disso, me arranjo sozinha. Mas não quero dar mais de mim a alguma coisa que não vai evoluir e se transformar numa família.

Nunca tive uma família que fizesse o menor sentido, e quero uma que faça. Preciso ter isso. Não estou dizendo amanhã ou até mesmo depois de amanhã. Mas, lá adiante, é o que eu quero. Se não for assim, prefiro arrancar as raízes agora mesmo, antes que isso exija uma enxada. Gostaria que, se possível, nos separássemos sem uma amputação sangrenta."

Neste ponto, embora o sol forte houvesse secado inteiramente seu corpo, ela tremeu dos pés à cabeça. "Acho que é tudo que tenho a dizer com a energia que me sobrou. E não precisa pronunciar uma palavra. Prefiro que não diga nada, pelo menos agora. Se não for assim, isso vai soar como um ultimato, o que não é. É um esclarecimento, nada mais. Nem queria falar sobre isso, imaginei que o *tempo* se encarregaria de tudo. Mas, pensando bem, é o tempo que pode acabar comigo. E, por favor, não é preciso responder com sons tranquilizadores. É só que, de repente, tudo me pareceu uma tremenda ilusão. Foi muito assustador. Por favor, não fale — a menos que saiba de alguma coisa que eu deva saber."

"Não, eu não sei."

"Então vamos para casa."

E, por fim, a visita de papai.

Na carta em que agradeceu efusivamente o convite telefônico para passar o fim de semana do Dia do Trabalho conosco, papai pergunta se pode levar um amigo também viúvo de quem se aproximou nos últimos meses e que faz questão de me apresentar. A essa altura, ele deve ter abandonado ou esgotado o uso dos papéis de carta e envelopes que exibiam o nome do hotel, pois o pedido foi escrito nas costas de uma folha encimada pelas palavras FEDERAÇÃO JUDAICA DO CONDADO DE NASSAU. Abaixo vem impressa uma curta e incisiva epístola aos judeus, cujo estilo é tão facilmente reconhecível por mim quanto os de Faulkner e Hemingway.

Prezado senhor,

    Envio em anexo seu talão de contribuição para a Federação Judaica do Condado de Nassau. Estou lhe fazendo um apelo pessoal como judeu. Não é necessário reiterar nosso compromisso de manter uma pátria judaica. Necessitamos da ajuda financeira de cada judeu. Jamais deveremos permitir outro holocausto! Nenhum judeu pode se mostrar apático! Peço encarecidamente sua ajuda. Doe antes que doa.

    Atenciosamente,

Abe Kepesh
Apartamentos Garfield Garden
Copresidente

No verso, está a carta dirigida a mim e a Claire, escrita com uma esferográfica em suas avantajadas garatujas, tão reveladora quanto a mensagem impressa em que ele apela para a solidariedade judaica (ou, naqueles hieróglifos infantis, até mesmo mais reveladora) das lealdades fanaticamente excessivas que agora, na velhice, fazem com que ele sofra o dia inteiro a dor difusa e as pontadas lancinantes de seus indomáveis sentimentos então apanhados numa armadilha.

Na manhã em que recebemos a carta, telefono para ele no escritório de tio Larry a fim de dizer que, se não se incomoda de dividir nosso pequeno quarto de hóspedes com seu amigo, o sr. Barbatnik, naturalmente teremos prazer em receber os dois.

"Me sinto muito mal de deixar ele aqui sozinho num feriado, Davey, é só por isso. Senão, não ia te chatear. Você entende, não pensei muito na coisa", ele explica, "quando respondi correndo para dizer que sim. O que não pode é a ida dele criar um problema para a Claire. Não quero que ela fique sobrecarregada, sobretudo com as aulas começando daqui a pouco e com todo o trabalho que ela deve ter para se preparar."

"Ah, ela já aprontou tudo, não se preocupe", e passo o telefone para Claire, que o tranquiliza quanto ao fato de que a preparação das aulas terminou há muito tempo e que será um prazer receber os dois no fim de semana.

"Ele é um homem maravilhoso, maravilhoso", papai se apressa em lhe dizer, como se tivéssemos algum motivo para suspeitar que um amigo dele fosse um bêbado ou um vagabundo, "uma pessoa que enfrentou coisas que você nem acredita. Trabalha comigo quando vou recolher dinheiro para as campanhas judaicas. E, confesso, preciso mesmo dele. Preciso de uma granada de mão. Tente pegar algum dinheiro dessa gente. Tente *comover* as pessoas e vai ver o resultado. Você diz que o que aconteceu com os judeus não pode acontecer de novo, e te olham como se nunca tivessem ouvido falar da coisa. Como se Hitler e os pogroms fossem alguma coisa que eu estou inventando para roubar os bônus municipais deles. Tem um sujeito no edifício em frente, viúvo recente e três anos mais velho que eu, que ganhou um dinheirão vendendo bebidas no mercado negro e só Deus sabe em que outros negócios. Depois que a mulher morreu, é uma vagabunda nova todo mês. Ele veste elas com roupas caras, leva para ver shows na Broadway e para salões de beleza num Cadillac Fleetwood, mas quando você vai lá pedir cem dólares para a causa de Israel ele só falta chorar contando como se deu mal no mercado. Felizmente eu me controlo. Cá entre nós, metade do tempo eu não consigo me controlar, não; é o sr. Barbatnik que precisa me tirar de perto antes que eu diga àquele fdp o que penso dele. Ah, esse cara realmente me deixa alucinado. Cada vez que falo com ele tenho que pedir um calmante para a minha cunhada. E olhe que eu não acredito nem em aspirina."

"Sr. Kepesh", diz Claire, "por favor fique à vontade para trazer o sr. Barbatnik."

Mas ele não concorda até extrair dela a promessa de que, se os dois forem, ela não vai se sentir obrigada a preparar três refeições por dia para eles. "Quero que você prometa que vai fazer de conta que nem estamos aí."

"Mas que graça teria isso? Quem sabe é melhor, em vez disso, eu evitar o problema fingindo que vocês estão aqui?"

"Olha, sabe de uma coisa? Você parece uma moça muito feliz."

"E sou mesmo. Estou transbordando de felicidade."

Embora o telefone esteja grudado à orelha de Claire do outro lado da mesa da cozinha, ouço perfeitamente o que se segue. Isso acontece porque papai se relaciona com as comunicações de longa distância da mesma forma com que trata dos enigmas que escapam à sua compreensão — com a crença de que as ondas elétricas que conduzem sua voz não vão dar conta do recado sem seu absoluto e incansável apoio. Sem que ele *trabalhe duro*.

"Deus te abençoe", ele diz, "pelo que você está fazendo pelo meu filho!"

"Bom...", e, apesar de bronzeada pelo sol, dá para ver que ela corou, "bom, ele está fazendo coisas boas para mim."

"Não duvido", papai continua. "Fico muito satisfeito em ouvir isso. Mas o fato é que ele praticamente se afastou do seu próprio caminho para complicar a vida. Me diga, ele está entendendo a sorte que é ter você? Ele tem trinta e quatro anos, é um adulto, não pode ficar agindo como um bebê. Claire, será que ele aprendeu o suficiente para saber o que tem agora?"

Ela tenta escapar soltando uma risada, mas papai insiste numa resposta, ainda que por fim ele próprio deva fornecê-la.

"Ninguém precisa perder o rumo de propósito, a vida já é bastante confusa. Ninguém enfia uma faca na sua barriga. Mas é justamente isso que ele fez quando se casou com aquela moça espalhafatosa, que se vestia como a Suzie Wong. Ah, sobre ela e suas roupas, quanto menos se falar, melhor. E aqueles perfumes franceses. Desculpe meu palavreado, mas ela cheirava igual a porra de uma barbearia. E depois inventou de alugar um apartamento com paredes cobertas de tecido vermelho, e nem sei o que acontecia lá, isso eu não vou entender nunca. Não gosto nem de pensar naquilo. Minha querida Claire, trate de me ouvir, finalmente ele achou alguém de valor. Só espero que você consiga fazer o Davey viver uma vida de verdade."

"Ah, por isso não", ela diz, bastante perturbada pela onda de emoção que a invade, "a vida aqui não podia ser mais tranquila..."

Antes que, com vinte e cinco anos de idade, ela encontre um modo de terminar a frase, papai ruge: "Ótimo, ótimo, essa é a melhor notícia que recebo desde que ele largou aquela bolsa de estudo para virar um cigano na Europa e voltou inteiro naquele navio!".

No terreno que fica atrás do armazém da cidadezinha, ele desce cautelosamente os degraus altos do ônibus que o trouxe de Nova York e — malgrado o calor abrasador e sua idade avançada — *se atira* não na minha direção e sim, movido por um impulso irrefreável, na da pessoa com quem ainda não possui nenhuma relação de parentesco. Tinha havido aquelas poucas noites em que ela lhe preparara algo para comer em meu novo apartamento, e quando dei a palestra *Homem numa concha* na universidade foi Claire quem o acompanhou e a meus tios na biblioteca, sentou-se ao lado deles no pequeno auditório e, a pedido de papai, indicou quem eram o chefe do departamento e o reitor. No entanto, quando ele se lança para abraçá-la, é como se ela já estivesse grávida de seu primeiro neto, como se fosse de fato a

Vênus Geradora de tudo que é mais digno de estima naquela estirpe excepcional de criaturas a que está unido por laços de sangue pelos quais tem uma admiração inesgotável... isto é, se e quando um membro do clã não sai por aí exibindo sem a menor vergonha suas presas e garras, deixando-o enlouquecido. Vendo Claire ser engolida por aquele estranho, Dazzle começa a saltar freneticamente levantando poeira em volta das sandálias de sua dona — e, embora papai nunca haja demonstrado grande confiança ou respeito por membros do reino animal que reproduzem sem se casar e defecam no chão, fico surpreso ao verificar que a despudorada demonstração do ânimo canino de Dazzle de forma alguma desvia sua atenção da moça que tem nos braços.

De início, sou obrigado a me perguntar se o que estamos testemunhando não se destina, ao menos em parte, a deixar o sr. Barbatnik à vontade ao visitar um casal de seres humanos que não está legalmente casado — se papai talvez tencione, pela intensidade com que aperta o corpo dela contra o seu, superar suas próprias (e não de todo inesperadas) dúvidas a esse respeito. Não me lembro de vê-lo tão vigoroso e animado desde antes da doença de mamãe. Na verdade, dá a impressão de estar meio fora de si nesse dia. Mas isso é ainda melhor do que eu esperava. Normalmente, quando telefono toda semana, em quase tudo de positivo que ele diz há um quê de melancolia tão transparente que não sei como encontra forças para afirmar, como costuma fazer, que tudo vai bem, maravilhosamente bem, não podia estar melhor. O tristonho "Alô" com que atende a chamada basta para me informar em que consistem seus dias "muito ativos": pela manhã ajudando meu tio no escritório onde ele não necessita de ajuda; à tarde, na sauna do Centro Judaico, discutindo política com os "fascistas", homens a que se refere como Von Epstein, Von Haberman e Von Lipschitz — aparentemente o Goering, o

Goebbels e o Streicher locais, que lhe causam palpitações cardíacas; e depois aquelas noites intermináveis em que, batendo à porta dos vizinhos, pede contribuições para suas várias causas e entidades filantrópicas, em que relê os artigos do *Newsday*, do *Post* e do *Times*; em que assiste, pela segunda vez em quatro horas, o noticiário da CBS; e, por fim, na cama e incapaz de dormir, espalhando sobre o lençol as cartas tiradas da pasta-arquivo e repassando sua correspondência com os queridos hóspedes do passado. Em certos casos, assim me parece, mais queridos agora que se foram do que eram quando estavam bem vivos e faltava cevada na sopa, havia cloro demais na piscina e nunca um número suficiente de garçons no restaurante.

As cartas que precisa escrever. Todo mês se torna mais difícil saber quem, entre as centenas e centenas de membros da velha guarda, está aposentado e mora na Flórida, e portanto ainda pode lhe responder, e quem morreu. E não é que esteja perdendo a memória — a culpada é a "perda sem descanso" de todos aqueles amigos, como vividamente descreve a dizimação que ocorreu nas fileiras de sua antiga clientela somente no ano anterior. "Escrevi cinco páginas de notícias para o meu queridíssimo amigo Julius Lowenthal, um príncipe entre os homens. Juntei até um recorte do *Times* que eu vinha guardando sobre como arruinaram aquele rio lá em Paterson, onde ele havia advogado. Achei que ele ia se interessar, lá na Flórida — essa maldita poluição era feita sob medida para ele. Eu te digo", apontando o dedo, "Julius Lowenthal foi uma das pessoas com maior consciência cívica que se pode encontrar. A sinagoga, órfãos, esportes, aleijados, gente de cor — ele se dedicava a tudo. Era um homem de verdade, o *máximo*. Bem, você já deve ter adivinhado o que vou dizer. Fecho o envelope, colo o selo e deixo a carta ao lado do chapéu para pôr no correio no outro dia de manhã, e só depois que escovo os dentes, deito na cama e apago a luz é que lembro que o meu querido amigo se foi no outono passado. Penso nele jogando cartas ao lado de uma piscina em Miami — exatamente do jeito que ele jogava com aquela cabeça de advogado —, e na verdade ele está debaixo da terra. O que terá sobrado dele a esta altura?" Este último pensamento é demais até para papai, especialmente para papai, e ele passa a mão com raiva diante do rosto como se para enxotar, tal qual um mosquito que o enfurecesse, aquela terrível e surpreendente imagem de Julius Lowenthal em decomposição. "E, por incrível que possa parecer para alguém moço", ele diz, recobrando quase todo o controle, "isso está virando uma ocorrência semanal, inclusive lamber o envelope e colar o selo."

Só muitas horas depois Claire e eu ficamos sozinhos, e ela pode enfim despejar a ordem enigmática que ele dera junto a seu ouvido enquanto nós quatro éramos envolvidos pela baforada de fumaça do ônibus que partia. O sol nos derrete como se fôssemos macadame; o pobre Dazzle (começando aos poucos a se acostumar com aquele rival) continua saltitando em volta dos pés de papai; e o sr. Barbatnik se mantém um pouco afastado — um cavalheiro baixinho com jeito de duende, rosto grande de feições asiáticas, orelhas compridas e surpreendentes manzorras presas a antebraços poderosos em que sobressaem as veias típicas de um halterofilista —, o sr. Barbatnik se mantém um pouco à parte, tão tímido quanto uma colegial, o paletó cuidadosamente dobrado no braço, esperando que aquele ser perdidamente enamorado faça as apresentações. Mas papai tem um assunto urgente a tratar primeiro — como o mensageiro numa tragédia clássica que, tão logo entra no palco, anuncia o que veio de muito longe para dizer. "Mocinha" (pois parece que alegoricamente é só assim que a imagina), "mocinha", ele ordena num sussurro com o poder que lhe foi conferido por seus devaneios, "não deixe... por favor, não deixe!"

Essas, ela me diz na hora de deitar, foram as únicas palavras que conseguiu ouvir, apertada como estava contra o peito maciço dele; mais provavelmente, digo eu, por terem sido as únicas que ele proferiu. Para papai, a esta altura, elas dizem tudo. E assim, tendo organizado o futuro (ainda que temporariamente), ele está pronto para passar ao item seguinte da cerimônia de chegada que deve ter planejado por várias semanas. Enfia a mão no bolso do paletó de linho cru que traz dobrado no braço e... aparentemente não encontra nada. Começa a dar tapas no forro do paletó como se desejasse ressuscitá-lo. "Ah, meu Deus", ele geme, "eu perdi. Meu Deus, ficou no ônibus!" Ao que o sr. Barbatnik dá um passo à frente e, tão discretamente quanto um padrinho de casamento fala ao noivo atordoado, lhe diz baixinho: "Abe, na calça". "Claro", papai retruca de imediato e, enfiando a mão (ainda com um traço de desespero no olhar) no bolso da calça de tecido axadrezado — ele está vestido, como se diz, nos trinques —, saca um embrulhinho que deposita na palma da mão de Claire. E agora está rindo de orelha a orelha.

"Não te disse no telefone, para ser uma surpresa total. Cada ano que passar vai valer mais dez por cento. Talvez quinze ou até mais. É melhor que dinheiro. E espera só até ver com que habilidade foi feito. É fantástico. Vai em frente. Abre."

Assim, enquanto todos nós continuamos sendo cozinhados no pátio do estacionamento, minha afável companheira, que sabe como agradar e adora fazê-lo, desfaz o laço com destreza e remove o papel acetinado amarelo, não deixando de apreciar sua beleza. "Também escolhi isso. Achei que a cor combinava com você, não foi, Sol?", ele diz, se voltando para o amigo. "Não falei que eu apostava que essa moça gostava de amarelo?"

Claire retira da caixa revestida de veludo um pequeno peso de papel de prata de lei em que foi gravado um buquê de rosas.

"David me contou como você trabalha duro no jardim e como gosta de flores. Aceite isso, por favor. Pode usar na sua mesa na sala de aula. Espere só até seus alunos verem isso." "É muito bonito", ela diz e, acalmando Dazzle com um simples olhar, beija o rosto de papai. "Preste atenção no trabalho", ele diz. "Dá para ver até os espinhos. Alguém fez isso de verdade, à mão. Um artista." "É lindo, uma beleza de presente", ela diz.

E só então ele se volta e me abraça. "Também tenho uma coisa para você, está na mala."

"Tomara que sim", eu digo.

"Muito engraçadinho." E nos beijamos.

Enfim ele está pronto para apresentar seu companheiro, vestido, como noto agora, com um conjunto tão novo e com cores tão bem combinadas quanto o de papai, embora neste caso sejam tons de castanho e marrom e, no do sr. Barbatnik, prata e azul.

"Devemos agradecer a Deus por este homem", diz papai quando saímos lentamente da cidade atrás da camionete de um fazendeiro com uma frase escrita no para-choque informando os demais motoristas de que MELHOR QUE LEITE SÓ O AMOR. No nosso carro, em apoio aos ecologistas locais, Claire colou um adesivo onde se lê O PLANETA TERRA PREFERE AS ESTRADAS DE TERRA.

Excitado e tagarela tal qual um menininho — como *eu* costumava ser quando *ele* guiava o carro por aquelas estradas —, papai não consegue mais parar de falar sobre o sr. Barbatnik: um em um milhão, a melhor pessoa que conheceu na vida... Enquanto isso, o sr. Barbatnik está serenamente sentado a seu lado, olhando para baixo, tão acanhado, penso eu, pelo jeitão alegre e descontraído de Claire quanto pelo fato de papai o estar vendendo a nós como, nos velhos tempos, costumava vender os benefícios que um verão em nosso hotel trariam para o resto da vida do hóspede.

"O sr. Barbatnik é a pessoa lá do Centro de quem tenho te falado. Se não fosse por ele, eu ficaria falando sozinho sobre aquele filho da puta do George Wallace. Claire, me desculpe, mas odeio aquele rato nojento com todas as minhas forças. Você nem devia ouvir as coisas que passam na cabeça de gente supostamente decente. É uma desgraça. Só que eu e o sr. Barbatnik formamos um time e baixamos o cacete neles pra valer."

"Não", diz o sr. Barbatnik em tom filosófico e com uma pronúncia bem carregada, "que isso faça muita diferença."

"E, me diga, o que ia fazer diferença com aqueles fanáticos ignorantes? Pelo menos são obrigados a ouvir o que alguém pensa deles! Judeus tão cheios de ódio que votam num George Wallace — isso escapa à minha compreensão. *Por quê?* Gente que viveu a vida inteira como uma minoria, e a sugestão que eles fazem com toda a seriedade é que tinham de botar os negros em fila e metralhar todos eles. Pessoas de carne e osso, e passar fogo nelas todas."

"Nem todo mundo diz isso", o sr. Barbatnik corrige. "Naturalmente, é só uma pessoa."

"Eu digo para eles, olhem para o sr. Barbatnik, perguntem a ele se isso não é a mesma coisa que Hitler fez com os judeus. E sabe o que eles respondem, homens adultos que criaram famílias, tocaram negócios prósperos e agora, aposentados, vivem em condomínios como gente supostamente civilizada? Dizem: 'Como é que você pode comparar pretos com judeus?'."

"O que irrita essa pessoa em particular, e o grupo que ele lidera..."

"E, aliás, quem o elegeu líder? Líder de quê? Continua, Sol, me desculpe. Só queria deixar claro para eles com que tipo de ditadorzinho estamos lidando."

"O que irrita essa gente", diz o sr. Barbatnik, "é que alguns possuíam casas e negócios, mas aí chegaram as pessoas de cor e, quando eles quiseram vender as propriedades, tiveram um grande prejuízo."

"Obviamente, quando se olha de perto, tudo tem a ver com a questão econômica. É sempre assim. Não foi o mesmo com os alemães? Não foi o mesmo com a Polônia?" Então, ele inter-rompe bruscamente sua análise histórica para dizer a Claire e a mim: "O sr. Barbatnik só veio para cá depois da guerra". Em tom dramático, mas também com orgulho, acrescenta: "Ele é uma vítima dos nazistas".

Quando entramos no caminho de terra e aponto a casa à meia encosta, o sr. Barbatnik comenta: "Não é à toa que vocês dois parecem tão felizes".

"Eles alugam", diz papai. "Falei com ele que, se gosta tanto da casa, por que não compra? Faça uma oferta ao sujeito. Diga a ele que vai pagar em dinheiro vivo. Veja se ao menos o peixe dá uma beliscada na isca."

"Bom", respondo, "por enquanto estamos satisfeitos só em alugar."

"Pagar aluguel é jogar dinheiro pela janela. Procure saber com ele, está bem? Perguntar não ofende. Grana viva, veja se ele topa. Seu tio Larry e eu podemos dar uma ajudinha se ele estiver interessado num negócio em dinheiro vivo. Mas, a esta altura do jogo, você sem dúvida precisa ter alguma propriedade. E aqui em cima não pode errar, essa é que é a verdade. Sempre foi assim. No meu tempo, Claire, dava para comprar um lugarzinho como este por menos de cinco mil. Hoje essa casinha e... até onde vai o terreno? Até a linha das árvores? Muito bem, digamos um e meio, dois hectares..."

Subindo o caminho de terra, passando pela porta da cozinha e atravessando o jardim florido de que tanto já ouviu falar, ele continua com aquela conversa de corretor imobiliário, encantado por estar de volta ao condado de Sullivan em companhia de seu único ente querido ainda vivo, o qual, a julgar por todas as aparências externas, parece ter sido finalmente arrancado da fornalha e se plantado diante da lareira.

Dentro de casa, antes mesmo que possamos oferecer algum refresco ou lhes mostrar o quarto e o banheiro, papai começa a desfazer a mala em cima da mesa da cozinha. "Agora o *seu* presente", anuncia.

Aguardamos. Saem os sapatos. As camisas recém-lavadas. O aparelho de barbear novo em folha.

Meu presente é um álbum com capa de couro preta contendo trinta e dois medalhões do tamanho de um dólar de prata, cada qual na sua cavidade circular e protegido em ambos os lados por uma lâmina transparente de plástico. Segundo ele, são as "Medalhas de Shakespeare": cenas de suas peças teatrais retratadas numa das faces, enquanto na outra, com letras minúsculas, estão reproduzidas citações de cada peça. As medalhas são acompanhadas por instruções sobre como colocá-las no álbum. A primeira instrução começa assim: "Calce um par de luvas de algodão sem fiapos...". No final de tudo papai me entrega as luvas. "Ponha sempre as luvas quando pegar as medalhas", ele me diz. "Elas vêm com a coleção. Se não fizer isso, eles dizem que as medalhas se estragam em contato com a pele humana."

"Ah, é uma bela lembrança", eu digo. "Embora eu não entenda bem por que você está me dando isso agora, um presente assim tão sofisticado..."

"Por quê? Porque era a hora", ele responde com uma risada e com um gesto largo que abarca todos os aparelhos da cozinha. "Davey, veja só o que eles gravaram para você. Claire, olhe na parte de fora."

No centro do desenho em arabescos, que é gravado em relevo na prata e forma a borda da capa funérea do álbum, há três linhas que papai nos aponta, palavra por palavra, com o dedo indicador. Todos nós lemos as palavras em silêncio — menos ele.

PRIMEIRA EDIÇÃO DO CONJUNTO DE PRATA DE LEI
CUNHADO PARA A COLEÇÃO PESSOAL DO
PROFESSOR DAVID KEPESH

Não sei o que dizer. "Deve ter custado uma fortuna. É impressionante", termino dizendo. "Não é mesmo? Mas não, do jeito que eles organizaram a coisa o custo foi suportável. Para começo de conversa, a gente só recebe uma medalha por mês. A primeira é *Romeu e Julieta* — espere até que eu mostre para Claire a medalha de *Romeu e Julieta* — e aí vai recebendo uma por uma até completar o conjunto. Venho juntando para você há um tempão. Só quem sabia era o sr. Barbatnik. Olhe, Claire, chegue aqui, tem que ver bem de pertinho..."

Levam algum tempo para localizar o medalhão que retrata Romeu e Julieta, porque, onde ele deveria estar, na área abaixo e à esquerda identificada como "Tragédias", papai pôs *Dois cavalheiros de Verona*. "Que diabo, onde se meteu a de *Romeu e Julieta?*", ele pergunta. Nós quatro conseguimos por fim encontrar a medalha na área dedicada a "Histórias" e no local reservado para *Vida e morte do rei João*. "Mas, então, onde eu meti a da *Vida e morte do rei João*? Pensei que tinha arrumado tudo direito, Sol", ele diz franzindo a testa para o sr. Barbatnik. "Achei que tínhamos conferido", confirma o sr. Barbatnik. "Seja como for", diz papai, "o importante é que... o que era importante? Ah, a parte de trás. Olhe, quero que Claire leia o que está na parte de trás, quero que todos ouçam. Leia isso, minha querida."

Claire lê em voz alta a inscrição: "'... e o que chamamos de rosa, se outro nome tivesse, cheiraria igualmente doce'. *Romeu e Julieta*, segundo ato, cena 2".

"Muito bom, não é?", papai pergunta a ela.

"É."

"E, como dá para ver, ele também pode levar para a universidade. Por isso é que é tão útil. Não é só para a casa, mas uma coisa que ele vai ter por uns dez a vinte anos para mostrar aos alunos. E, assim como o seu, é de prata de lei, vai ficar sempre à frente da inflação e dura até depois que o papel-moeda não valer mais nada. Onde é que você vai pôr a coleção?" Pergunta dirigida a Claire, e não a mim.

"Por enquanto", ela responde, "na mesinha de centro, para que as pessoas possam ver. Venham todos para a sala de estar, vamos pôr isso lá."

"Maravilhoso", diz papai. "Só lembre que as visitas não podem pegar as medalhas sem luvas."

O almoço é servido na varanda protegida com telas. A receita da sopa fria de beterraba, Claire encontrou no livro *Cozinha russa*, um dos dez ou mais de uma série da Time-Life sobre "As comidas do mundo" cuidadosamente enfileirados entre o rádio — que parece programado para só tocar Bach — e a parede onde estão penduradas duas pacíficas aquarelas de sua irmã, mostrando o mar e as dunas. A salada de pepino e iogurte, com generosos toques de alho amassado e hortelã fresca colhida no canteiro de ervas a dois passos da porta de tela, vem da mesma série porém do volume sobre a cozinha do Oriente Médio. O frango assado servido frio e temperado com alecrim é uma receita favorita dela há muito tempo.

"Meu Deus", diz papai, "que refeição!" "Excelente", diz o sr. Barbatnik. "Senhores, muito obrigada", diz Claire, "mas aposto que já comeram coisa melhor." "Nem em Lvov, quando mamãe cozinhava", diz o sr. Barbatnik, "eu comi um *borscht* tão gostoso." Sorrindo, Claire retruca: "Suspeito que há um certo exagero nisso, mas, outra vez, muito obrigada". "Olhe, minha querida", diz papai, "se eu tivesse você na cozinha, ainda estava no ramo da hotelaria. E você ia ganhar mais do que como professora, acredite em mim. Um bom mestre-cuca, mesmo antigamente, mesmo no meio da Depressão..."

Mas, no final, o maior sucesso de Claire não são os exóticos pratos orientais que, a seu modo, ela cozinhou naquele dia pela primeira vez na esperança de fazer com que todos — inclusive ela — se sentissem instantaneamente em casa, e sim o potente chá gelado que prepara com folhas de hortelã e lascas de casca de laranja, seguindo a receita de sua avó. Papai não consegue parar de beber nem de fazer os maiores elogios, em especial depois de saber, enquanto comíamos os mirtilos, que Claire pega o ônibus para Schenectady todos os meses a fim de visitar a nonagenária com quem aprendeu tudo que sabe sobre como preparar uma refeição e cuidar de um jardim, e provavelmente também sobre como criar um filho. É, a julgar pela moça, seu filho renegado decidiu trilhar o bom caminho, e bota bom nisso!

Depois do almoço, sugiro que os dois homens talvez queiram descansar um pouco até que o calor diminua e possamos dar uma caminhada pela estrada. De jeito nenhum. Que conversa é essa? Assim que fizermos a digestão, diz papai, pegamos o carro e vamos ao hotel. Isso me surpreende, como me havia surpreendido no almoço ouvi-lo falar tão facilmente sobre seu antigo ramo de negócio. Desde que se mudara para Long Island um ano e meio atrás, ele não havia demonstrado o menor interesse em ver o que dois proprietários em sucessão haviam feito com seu hotel, que mal e mal sobrevivia agora com o nome de Royal Ski and Summer Lodge. Pensei que ele iria preferir se manter à distância, mas na verdade está outra vez fervendo de entusiasmo e, após uma passada pelo banheiro, anda de um lado para o outro na varanda à espera de que o sr. Barbatnik desperte do cochilo que está tirando na minha espreguiçadeira de vime.

E se ele caísse duro de um ataque cardíaco por causa de todo aquele entusiasmo? E isso antes que eu me casasse com a moça devotada, comprasse a casa acolhedora, criasse a bela prole... Então, o que estou esperando? Se vou fazer isso mais tarde, por que não já, de modo que ele possa ser feliz e considere sua vida um sucesso? Estou esperando o quê?

Papai nos guia enquanto descemos a rua principal e passamos diante de todas as lojas ainda abertas, o único dos quatro aparentemente não afetado pelo tremendo calor. "Eu me lembro quando havia quatro açougues, três barbearias, um boliche, três quitandas, duas padarias, um supermercado, três médicos e três dentistas. Agora, vejam só", diz ele, sem amargura, mas com o orgulho de quem imagina ter sido suficientemente esperto para escapar enquanto as coisas iam bem, "nenhum açougue, nenhuma barbearia, nenhum boliche, só uma padaria, nenhum supermercado e, a menos que as coisas tenham mudado desde que fui embora, nenhum dentista e um único médico. Sim", ele anuncia em tom benevolente, assumindo uma postura meditativa, lembrando um pouco Walter Cronkite, seu comentarista de televisão favorito, "a era dos velhos e opulentos hotéis acabou — mas foi algo de notável! Vocês precisavam ver esse lugar no verão! Sabem quem costumava passar as férias aqui? Nem imaginam! O Rei do Arenque! O Rei das Maçãs!" E, dirigindo-se ao sr. Barbatnik e a Claire (que não deixa transparecer o fato de haver feito essa mesma viagem sentimental algumas semanas antes ao lado do filho dele, que lhe havia explicado então o que era um rei do arenque), papai começa a contar em ritmo veloz a história da rua mais importante de sua vida, metro a metro, ano a ano, desde a posse de Roosevelt na presidência até Lyndon B. Johnson. Passando o braço em volta de sua empapada camisa de manga curta, digo: "Aposto que, se você fizer um esforço, consegue chegar até antes do Dilúvio". Ele gosta desse comentário — é, hoje gosta praticamente de tudo. "Consigo mesmo! É um grande prazer! Essa é realmente a rua da memória!" "Está quente demais, papai", eu o alerto. "Quase trinta graus. Quem sabe se andarmos mais devagar..." "*Devagar?*", ele exclama, e, se exibindo, dá o braço a Claire e dispara num trote maluco rua abaixo. O sr. Barbatnik sorri e, enxugando a testa com o lenço, me diz: "Fazia muito tempo que ele esperava por este dia".

"Fim de semana do Dia do Trabalho!", papai anuncia alegremente ao chegarmos ao estacionamento próximo à entrada de serviço do prédio principal. A não ser pelo pátio do estacionamento recentemente asfaltado e pelas paredes externas pintadas de um rosa inflamado, pouca coisa parece ter mudado até agora, com exceção, obviamente, do nome do hotel. O hotel agora é comandado por um sujeito de ar preocupado, um pouco mais velho que eu, e sua segunda mulher, mais jovem porém sem o menor encanto. Encontrei-os brevemente numa tarde de junho, quando fiz com Claire minha própria excursão nostálgica. Mas não há nenhuma nostalgia pelos bons tempos de outrora nesses dois, não mais do que a de náufragos agarrados a algumas tábuas num rio revolto com saudade dos anos de ouro das canoas feitas com casca de vidoeiro. Quando papai pergunta por que o hotel não está cheio nesse feriado — fenômeno jamais registrado em seu tempo, como faz questão de assinalar —, a mulherzinha amarra ainda mais a cara e o marido, um sujeito grandalhão mas com jeito de criança, olhos pálidos, pele esburacada e uma expressão entre aparvalhada e amigável — indivíduo simpático e bem-intencionado cujos credores, no entanto, provavelmente não se deixam impressionar por planos que se estendem até o século XXI —, explica que ainda não foram capazes de estabelecer uma "imagem" na mente do público. "Vocês sabem", ele diz, inseguro, "agora mesmo ainda estamos modernizando a cozinha..."

A mulher interrompe para pôr os pingos nos is: os jovens se mantêm distantes porque acreditam se tratar de um hotel para gente idosa (o que, pelo tom de sua voz, é culpa de papai), enquanto as famílias se assustaram porque o sujeito para quem meu pai vendeu o estabelecimento — e que parou de pagar as contas ao chegar o mês de agosto de seu primeiro e único verão como proprietário — era um "imitador barato do Hugh Hefner" que tentou fazer uma clientela com "gentinha da pior espécie".

"Número um", diz papai antes que eu possa agarrá-lo pelo braço e tirá-lo dali, "o maior erro foi mudar o nome, pegar trinta anos de tradição e riscar do mapa. Podem pôr a cor que quiserem do lado de fora e, embora eu não saiba o que havia de errado com um branco limpo e bonito, se este é o gosto de vocês, não há o que discutir. Mas o importante é o seguinte: as cataratas do Niágara mudam de nome? Não, como tem gente interessada em atrair os turistas, não muda." A mulher ri na cara dele, e ainda reforça: "Só mesmo rindo". "O *quê*?", pergunta papai indignado. "Não se pode chamar um hotel de Hungarian Royale nos dias de hoje e esperar que se faça fila na entrada, será que dá para entender isso?" "Não, não", diz o marido, tentando amenizar suas palavras enquanto retira dois tabletes de antiácido do envoltório prateado, "o problema, Janet, é que estamos numa transição entre dois estilos de vida, e é isso que vamos precisar resolver. Estou certo de que, tão logo finalizarmos a cozinha..." "Meu amigo, esquece a cozinha", diz papai, virando o corpo de modo a se afastar visivelmente da mulher e se dirigir a um ser humano ao menos capaz de manter uma conversa decente, "faça um favor a si mesmo e volte ao velho nome. Metade do que você pagou foi por ele. Por que vai querer usar no nome uma palavra como 'ski'? Fique aberto o inverno todo, se acha que vale a pena, mas por que usar uma palavra que só pode afastar as pessoas que fazem esse negócio lucrativo?" A mulher: "Tenho uma notícia para o senhor. Ninguém quer tirar férias hoje em dia num lugar cujo nome lembra um mausoléu". Silêncio. "Ah", diz papai, caprichando no sarcasmo. "Ah, quer dizer que o passado atualmente morreu, é isso?" E se lança num monólogo filosófico, solene e desconjuntado, sobre a relação integral entre o passado, o presente e o futuro, como se um homem que sobreviveu até os sessenta e seis anos *precisasse* saber do que está falando, fosse *obrigado* a ser sagaz com os que vêm depois — sobretudo quando parecem considerá-lo o causador de seus problemas.

Espero para interceder ou chamar uma ambulância. Será que o fato de ver o trabalho de toda sua vida malbaratado por um marido frouxo e uma mulherzinha casmurra vai fazer meu superexcitado pai cair no pranto ou cair duro no chão? Mais uma vez, essa segunda possibilidade me parece tão válida quanto a primeira.

Por que estou convencido de que, no curso deste fim de semana, ele vai morrer, que chegada a segunda-feira eu serei um órfão?

Ele segue a toda — ainda meio fora de si — quando entramos no carro para voltar para casa. "Como é que eu podia adivinhar que ele era um *hippie?*" "Quem é *hippie?*", eu pergunto. "O cara que comprou o hotel depois que perdemos Mamãe. Acha que eu teria vendido para um *hippie*, se eu soubesse disso? Ele tinha cinquenta anos. Que importa se usava cabelo comprido? E eu lá sou algum reacionário para me aborrecer com ele por causa disso? Mas, afinal de contas, o que é que ela quis dizer com 'gentinha da pior espécie'? Ela não quis dizer o que eu acho que ela quis dizer, não é? Ou será que sim?" Eu digo: "Ela só quis dizer que eles estão afundando depressa e isso dói muito. Olhe, ela é sem dúvida uma chata, uma sem graça, mas fracasso é sempre fracasso". "Está bem, mas por que botar a culpa em cima de *mim?* Dei a essa gente a última galinha dos ovos de ouro, dei uma sólida tradição e uma clientela leal, bastava eles manterem o que já estava *lá*. Isso era *tudo*, Davey! '*Ski*'! Meus fregueses ouvem isso e saem correndo como se o diabo estivesse atrás deles. Ah, tem gente que abre um hotel no Saara e dá certo, enquanto outros podem ter as melhores condições e perdem tudo." "Isto é verdade", confirmo. "Eu olho para trás e fico surpreso como consegui tanta coisa. Um ninguém como eu, vindo de lugar nenhum! Claire, eu comecei como cozinheiro à minuta. Meu cabelo era preto naquela época, como o dele, e abundante também, se é que você acredita em mim..."

Ao lado dele, a cabeça do adormecido sr. Barbatnik está caída para um lado, como se garroteada. Claire, contudo — amigável, tolerante, generosa e desejosa de agradar —, continua a sorrir e a concordar com a cabeça enquanto acompanha a história de nossa hospedaria e de como ela floresceu sob os cuidados daquele ninguém trabalhador, simpático, arguto, dinâmico e exigente com os que o cercavam. Existirá algum homem, me pergunto, que teve uma vida mais exemplar? Terá ele poupado um grama de esforço no exercício de suas obrigações? Se é assim, de que ele se crê tão culpado? De minhas negligências, de meus pecados? Ah, se ele encurtasse a peroração final, o júri o declararia "inocente como um bebê" sem nem ao menos se retirar da sala do tribunal.

Só que ele não pode. Até o começo da noite, a apresentação dos argumentos de defesa prossegue a todo vapor. Primeiro, enquanto Claire prepara a salada e a sobremesa, ele fica zanzando atrás dela na cozinha. Quando ela vai tomar banho e se vestir para o jantar — aproveitando para recarregar as baterias —, ele vem ao meu encontro no quintal onde estou me preparando para assar os bifes. "Ei, eu te contei quem me convidou para o casamento da filha? Você nunca vai adivinhar. Tive que ir até Hempstead para consertar o liquidificador da sua tia — você sabe, a jarra de vidro, a parte de cima —, e quem você pensa que agora é o dono da loja de eletrodomésticos que faz esses serviços?

Não adianta nem tentar, você nem deve lembrar mais dele." Mas lembro. É o meu mágico. "Herbie Bratasky", respondo. "Isso mesmo! Eu já tinha te contado?" "Não." "Pois foi ele mesmo — e, acredite em mim, aquele *paskudnyak* magricela virou gente e está se dando muito bem. Representa a Waring, a GE e agora, segundo me disse, vai ser o único distribuidor em Long Island de uma companhia japonesa maior que a Sony. A filha dele é uma boneca. Ele me mostrou a fotografia dela — e aí, assim de repente, há dois dias recebi um convite muito bonito pelo correio. Queria trazer, mas, pomba, acho que esqueci porque já tinha arrumado a mala." Mala arrumada dois dias antes. "Vou te mandar", ele diz, "você vai gostar muito de ver. Olha, eu estava pensando, é só uma ideia, que você e Claire podiam ir comigo... ao casamento. Ia ser uma surpresa e tanto para o Herbie." "Bom, vamos pensar nisso. Como está o Herbie hoje? Agora que tem uns quarenta anos?" "Ah, já deve estar com quarenta e cinco ou seis, por aí. Mas ainda é um dínamo — esperto e bonitão como quando era jovem. Nem um pingo de gordura, não perdeu um fio de cabelo — cheguei até a pensar que era peruca. Pensando bem, quem sabe era. E ainda tem aquele bronzeado. O que você acha? Deve usar alguma lâmpada. E, Davey, ele tem um filho pequeno, igualzinho a ele, que toca *bateria*! Falei de você, naturalmente, e ele disse que já sabia. Leu que você tinha feito uma palestra na universidade, saiu na agenda do *Newsday* com outros eventos da região. Disse que contou a todos os fregueses. Interessante, não é? Herbie Bratasky. Como é que você sabia?" "Palpite." "Bom, estava certo. Garoto, você tem poderes mediúnicos. Puxa, essa carne está uma delícia. Quanto custa um quilo aqui em cima? Anos atrás um corte de lombo desses..." E eu sinto vontade de abraçá-lo, de apertar contra meu peito aquela boca que não se cala e lhe dizer: "Está bem, você vai ficar aqui para sempre, não precisa nunca mais ir embora". Mas na verdade todos nós teremos que partir em menos de cem horas. E — até que a morte nos separe — a tremenda proximidade e a tremenda distância entre nós dois vai continuar nas mesmas proporções desconcertantes que existiram ao longo de toda a nossa vida.

Quando Claire volta à cozinha, ele me deixa tomando conta do carvão e entra em casa a fim de "ver como ela está bonita". "Trate de ficar calmo...", eu digo enquanto ele se afasta, porém seria o mesmo que pedir a um menino que se acalmasse ao entrar pela primeira vez no Yankee Stadium.

Minha ianque o põe para trabalhar debulhando milho. Mas obviamente pode-se debulhar milho e falar ao mesmo tempo. No quadro de avisos de cortiça que Claire pendurou acima da pia, ela pregou, junto com as receitas do *Times*, algumas fotos que Olivia havia mandado recentemente de Martha's Vineyard. Através da porta de tela da cozinha, ouço os dois conversando sobre os filhos de Olivia.

Outra vez sozinho, e com algum tempo antes de pôr a carne para assar, abro por fim o envelope reenviado de minha caixa postal na universidade e guardado no bolso de trás da calça desde que fomos à cidade horas atrás pegar a correspondência e nossos hóspedes. Não havia me dado ao trabalho de abri-lo porque não era a carta que ultimamente eu esperava todos os dias, a da editora da universidade à qual eu submetera a versão revista de *Homem na concha* ao voltar da Europa. Não, era uma carta do Departamento de Inglês da Universidade Cristã do Texas, a qual me proporciona o primeiro momento relaxante do dia. Ah, Baumgarten, você é mesmo um sujeito engraçado e diabólico.

Caro professor Kepesh,

O sr. Ralph Baumgarten, candidato ao posto de escritor residente na Universidade Cristã do Texas, indicou seu nome como alguém que conhece bem a obra dele. Reluto em sobrecarregar sua agenda, mas ficaria muito grato se o senhor pudesse me enviar sua opinião acerca da produção literária, da capacidade pedagógica e da conduta moral do sr. Baumgarten. Fique seguro de que tais comentários serão mantidos em estrita confidência.

Agradecendo antecipadamente sua ajuda, subscrevo-me,

John Fairbairn

Presidente

Caro professor Fairbairn, *Talvez o senhor deseje conhecer também minha opinião acerca do vento, cuja obra igualmente conheço...* Enfio a carta no bolso de trás e preparo a carne para ser assada. *Caro professor Fairbairn, só posso crer que os horizontes de seus alunos serão enormemente alargados e a percepção deles sobre as possibilidades da vida, extraordinariamente enriquecida...* Me pergunto quem será o próximo. Quando eu sentar à mesa para jantar, haverá um prato extra para Birgitta, ou ela preferirá comer juntinho de mim, sentada nos meus joelhos?

Ouço da cozinha que Claire e papai finalmente começaram a falar sobre os pais dela. "Mas *por quê?*", o escuto perguntar. Por seu tom, sei perfeitamente que, qualquer que tenha sido a pergunta, a resposta não lhe é em nada estranha, e sim incompatível de todo com sua paixão pela filosofia meliorista. Claire responde: "Porque eles provavelmente nunca foram feitos um para o outro". "Mas duas filhas tão bonitas; eles próprios com educação universitária; ambos com excelentes cargos de chefia. Não entendo. E a bebida: *por quê?* Para onde ela te leva? Com todo o respeito, me parece uma estupidez. Eu mesmo nunca tive as vantagens de uma boa educação. Se tivesse tido... mas não tive, não adianta chorar. Mas minha mãe, esta sim, basta eu pensar nela que me sinto de bem com o mundo inteiro. Que mulher! Mamãe, eu perguntava a ela, o que é que você está fazendo aí agachada no chão outra vez?

Larry e eu vamos te dar o dinheiro, e você arranja alguém para lavar o assoalho. Mas não..."

É durante o jantar que, enfim, na frase de Tchékhov, o anjo do silêncio voa sobre meu pai. Porém só para ser seguido de perto pela sombra da melancolia. Será que ele está agora à beira do choro, tendo falado pelos cotovelos, mas sem dizer ainda exatamente o que queria? Será que por fim está prestes a perder o controle e chorar — ou estou lhe atribuindo o estado de espírito que se apossou de mim? Por que eu deveria me sentir como se houvesse perdido uma batalha sangrenta, quando claramente venci?

Comemos de novo na varanda cercada de telas, onde, durante os dias anteriores, vim fazendo um grande esforço, com um bloco e uma caneta, para dizer exatamente o que quero. As velas de cera de abelha queimam invisivelmente nos velhos candelabros de *pewter*. As velas de bagos de loureiro, vindas de Vineyard pelo correio, deixam cair gotas de cera sobre a mesa. Há velas acesas onde quer que se olhe — Claire adora tê-las à noite na varanda, talvez sua única extravagância. Mais cedo, quando ela foi de castiçal em castiçal com uma caixa de fósforos, papai — já sentado à mesa com um guardanapo preso ao cinto — começou a recitar os nomes dos hotéis das montanhas Catskill que haviam se incendiado tragicamente nos últimos vinte anos. Ela o tranquiliza, dizendo que teria cuidado. No entanto, quando uma brisa percorre de leve a varanda e todas as chamas bruxuleiam, ele olha ao redor para se certificar de que nada pegou fogo.

Ouvimos então a primeira maçã madura cair na grama do pomar atrás da casa. Ouvimos também o pio de "nossa" coruja — pois é assim que Claire identifica para os hóspedes essa criatura que nunca vimos mas que mora em "nossa" mata. Se ficarmos em silêncio por tempo suficiente, ela diz aos dois homens idosos como se eles fossem crianças, os veados talvez saiam da mata e venham pastar em meio às macieiras. Dazzle já aprendeu a não assustá-los com seus latidos. O cachorro solta um arquejo ao ouvir seu nome pronunciado por ela. Ele tem onze anos e pertence a Claire desde quando ela era uma estudante de ginásio de catorze anos, seu melhor amigo desde que Olivia foi para a universidade, o ser mais chegado a ela antes de mim. Segundos depois, Dazzle dorme pacificamente, e mais uma vez se ouve apenas o animado *finale* de setembro orquestrado pelas rãs e pelos grilos, a mais popular das doces canções de verão.

Não consigo afastar os olhos do rosto dela nessa noite. Situado entre as gravuras de Velhos Mestres dos dois homens iluminados pelas velas, com suas rugas e papadas sob os olhos, o rosto de Claire parece, mais do que nunca, tão liso quanto uma maçã, tão pequeno quanto uma maçã, tão lustroso quanto uma maçã, tão fresco quanto uma maçã... franco e puro como nunca... tão... Sim, e o que é que estou propositadamente ignorando que, com o tempo, irá nos separar? Por que eu mesmo devo continuar me enfeitiçando, só permitindo que chegue a mim aquilo que me agrada? Será que não há algo um pouco duvidoso e irrealista em toda essa terna e suave adoração? O que acontecerá quando o *resto* de Claire se impuser? O que acontecerá se não existir nenhum "resto" dela? E o resto de mim? Por quanto tempo ele se deixará enganar? Quanto tempo mais antes que eu me enjoe de tamanha inocência, quanto tempo mais antes que a encantadora insipidez da vida com Claire comece a me dar engulhos, a perder o sabor, e eu me veja outra vez lamentando o que perdi e buscando um novo caminho!

E, tendo por fim expressado dúvidas tão longamente suprimidas — e isso num crescendo ensurdecedor —, as emoções que me trouxeram augúrios sombrios durante todo esse dia se forjam em algo tão palpável e pavoroso quanto um aguilhão. Só vivo o *provisório*, eu penso, e, como se realmente houvesse sido perfurado e minhas forças estivessem se esvaindo, sinto que estou prestes a desabar da cadeira. Só o provisório. Incapaz de conhecer algo duradouro. Nada além das minhas memórias inextinguíveis do que é descontínuo e passageiro; nada exceto a interminável saga de tudo que não funcionou... Sem dúvida, Claire ainda está comigo, bem em frente a mim, do outro lado da mesa, dizendo algo a papai e ao sr. Barbatnik sobre os planetas que lhes mostrará mais tarde brilhando em meio às longínquas constelações. Com o cabelo preso no alto, expondo as vértebras vulneráveis que sustentam seu pescoço fino, vestida com uma túnica de cor clara (a barra de bordados costurada à máquina no começo do verão) que dá um toque régio à sua irresistível simplicidade, ela me parece mais preciosa do que nunca, mais que nunca minha esposa de verdade, a mãe de meus filhos ainda não nascidos... e, no entanto, estou despojado de minha força, de minha esperança, de minha alegria. Embora tudo vá seguir como planejado, com a casa sendo alugada para a usarmos nos fins de semana e nas férias escolares, estou certo de que, passado algum tempo — isso é tudo que se faz necessário, só a passagem do tempo —, o que temos juntos desaparecerá aos poucos, e o homem que agora segura uma colher cheia de sua mousse de laranja dará lugar ao pupilo de Herbie, ao cúmplice de Birgitta, ao enamorado de Helen, sim, ao camarada e protetor de Baumgarten, ao filho desregrado e a tudo que ele deseja ardentemente. Ou, se não for nada disso, será o *quê*? E quando até isso se for, o que virá depois?

Em respeito a todos nós, não posso cair da cadeira durante o jantar. Entretanto, mais uma vez sou tomado por uma terrível fraqueza física. Tenho medo de esticar a mão para pegar a taça de vinho, sem saber se terei força suficiente para trazê-la até a boca.

"Que tal um pouco de música?", pergunto a Claire.

"O disco novo de Bach?"

Um disco com três sonatas que ouvimos ao longo da semana. Na semana anterior, havia sido um quarteto de Mozart e antes um concerto para violoncelo de Elgar. Simplesmente tocamos o disco sem parar até que enfim nos damos por satisfeitos. É o que se ouve enquanto nos movimentamos pela casa, uma música que agora quase parece ser um subproduto de nossas idas e vindas, composições geradas por nossa sensação de bem-estar. Só ouvimos o que há de mais requintado em matéria de música.

Tendo aparentemente uma boa razão, consigo sair da mesa antes que ocorra algo assustador.

O toca-discos e os alto-falantes na sala de estar são de Claire, trazidos da cidade no banco de trás do carro. A maioria dos discos também. Assim como as cortinas das janelas e a coberta de veludo cotelê do sofá, costuradas por ela, sem falar nos dois cachorros de porcelana de um lado e do outro da lareira e que, tendo pertencido a sua avó, lhe foram dados de presente quando fez vinte e cinco anos. Quando criança, ao voltar da escola ela costumava parar na casa da avó, onde tomava chá com torradas e se exercitava no piano: só então, armada ao menos com isso, seguia rumo ao campo de batalha que era sua casa. Ela havia decidido sozinha fazer o aborto. Para não me sobrecarregar com um dever? Para que eu pudesse escolhê-la apenas por ela mesma? Mas será que a noção de dever é assim tão terrível? Por que não me contou que estava grávida? Não haverá um momento na vida em que a gente se rende ao dever, dá *boas-vindas* ao dever como antes já se rendeu ao prazer, à paixão, à aventura — um momento em que o dever é o prazer, em vez de o prazer ser um dever?

Começa a música refinada. Retorno à varanda, não tão pálido como quando saí. Sento-me à mesa e tomo um gole de vinho. Sim, sou capaz de levantar e baixar um cálice. Sou capaz de me concentrar em outro assunto. Melhor assim.

"Sr. Barbatnik", eu digo, "papai nos disse que o senhor sobreviveu a um campo de concentração. Como foi isso? Se importa de eu perguntar?"

"Professor, antes me permita dizer como aprecio sua hospitalidade para com alguém que nunca viu. Hoje é o dia mais feliz para mim em muito, muito tempo. Achei até que eu tivesse esquecido de como era ser feliz com outras pessoas. Agradeço a todos vocês. Agradeço a meu novo e querido amigo, seu maravilhoso pai. Foi um dia lindo, e, srta. Ovington..."

"Me chame de Claire, por favor."

"Claire, você é jovem e também adorável, mas tem uma maturidade que vai além de seus anos. E... durante todo o dia eu quis lhe manifestar minha profunda gratidão. Por todas as coisas bonitas que você se preocupa em fazer pelos outros."

Os dois homens idosos a ladeiam, o amante está diretamente em frente a ela: com todo o amor que é capaz de invocar, ele contempla a plenitude de seu corpo airoso e a pequenez do rosto acima do vasinho de ásteres que colheu para ela na caminhada matinal; com todo o amor de que dispõe, observa aquela fêmea dadivosa, em plena floração, oferecer a mão ao tímido hóspede, que a aperta calorosamente e, sem liberá-la, começa a falar pela primeira vez com facilidade e segurança, por fim se sentindo em casa (tal como ela planejara, tal como fizera acontecer). E, em meio a tudo isso, o amante tem de fato a impressão de estar mais intensamente envolvido em sua própria vida do que em qualquer outra ocasião de que se recorde — o verdadeiro eu no que tem de mais verdadeiro, ancorado por todos os sentimentos em seu próprio lar! E, no entanto, ele continua a imaginar que está sendo puxado por uma força tão incoercível quanto a gravidade, e isso não é nenhuma mentira. Como um corpo em queda, tão indefeso quanto uma pequena maçã no pomar que se desprendeu e chega velozmente ao chão sedutor.

Contudo, em vez de gritar, em sua língua materna ou com um rudimentar urro animalesco, "Não me abandone! Não vá embora! Vou sentir muito a sua falta! Este momento, nós quatro juntos, é assim que deve ser!", ele pega com a colher o último pedaço de mousse e presta atenção à história de sobrevivência que pediu para ouvir.

"Houve um começo", o sr. Barbatnik está dizendo, "tem que haver um fim. Vou viver até ver essa monstruosidade chegar ao fim. Era isso que eu me dizia todas as manhãs e todas as noites."

"Mas como não o mandaram para os fornos?"

Por que cargas-d'água você está aqui, conosco? Por que Claire está aqui? Por que não Helen e nosso filho? Por que não mamãe? E daqui a dez anos... quem então? Construir um relacionamento íntimo de novo, começando do zero, quando eu terei quarenta e cinco anos? Reiniciar tudo aos cinquenta? Ficar eternamente lamentando minha condição de excluído? Não posso! Não farei isso!

"Eles não podiam matar todo mundo", diz o sr. Barbatnik. "Disso eu sabia. Alguém tinha que sobrar, nem que fosse uma pessoa. E então eu me dizia: essa pessoa vou ser eu. Trabalhei para eles nas minas de carvão para onde me mandaram. Com os poloneses. Eu era jovem na época, e forte. Trabalhei como se a mina fosse minha, herdada do meu pai. Eu disse a mim mesmo que era aquilo que eu queria fazer. Eu disse a mim mesmo que estava fazendo aquele trabalho pelo bem da minha filha. Eu dizia a mim mesmo coisas diferentes todos os dias, só para garantir que eu pudesse durar até a noite. E foi assim que sobrevivi. Só quando os russos começaram a se aproximar muito depressa, os alemães nos puseram em marcha às três da manhã. Dias, dias e mais dias, até que perdi a conta. Caminhando sem parar, as pessoas caindo para todo lado que a gente olhasse. E, como sempre, eu me dizendo que, se alguém ia sobrar, esse alguém era eu. Mas aí me dei conta, não sei como, que, mesmo que eu chegasse ao destino, eles matariam todos os sobreviventes. E foi por isso que saí correndo, depois de semanas e semanas caminhando sem parar, rumo a só Deus sabe onde. Eu me escondia na floresta e, ao sair à noite, os fazendeiros alemães me alimentavam. Sim, é verdade", ele diz, olhando fixamente para sua enorme mão (parecendo à luz da vela tão larga quanto uma pá e tão pesada quanto um pé de cabra) que envolvia os dedos finos e elegantes de Claire, com seus delicados ossos e juntas. "Individualmente, o alemão, vocês sabem, não é tão mau. Mas, se alguém juntar três alemães num quarto, pode se despedir do mundo."

"E depois, o que aconteceu?", pergunto, mas ele continua olhando para baixo, como se quisesse entender o enigma daquela mão dentro da outra. "Como o senhor se salvou?"

"Uma noite, uma camponesa alemã me disse que os americanos haviam chegado. Achei que ela estava mentindo. Pensei que eu não devia voltar mais lá onde ela estava, que ela estivesse tramando alguma coisa de ruim. Mas no dia seguinte vi através das árvores um tanque com uma estrela branca descendo a estrada, e corri na direção dele, berrando a plenos pulmões."

Claire diz: "A essa altura você devia estar com uma aparência muito estranha. Como eles souberam quem você era?".

"Eles sabiam. Eu não era o primeiro. Estávamos todos saindo de nossas tocas. Os que haviam sobrado. Perdi mulher, pai e mãe, irmão, duas irmãs e uma filha de três anos."

Claire solta um gemido, como se uma agulha a houvesse espetado. "Ah, sr. Barbatnik, estamos fazendo perguntas demais, não deveríamos..."

Ele sacode a cabeça. "Querida, enquanto se vive, a gente faz perguntas. Talvez seja por isso que vivemos. Às vezes acho que sim."

"Eu falo para ele", diz papai, "que ele devia escrever um livro contando tudo por que passou. Conheço algumas pessoas a quem eu gostaria de dar o livro para lerem. Se lessem, talvez fossem até se surpreender com o que são, e como esse homem é tão bom e decente."

"E antes da guerra começar?", pergunto. "O senhor era muito jovem. O que queria ser?"

Provavelmente devido à força de seus braços e ao tamanho das mãos, eu esperava que ele dissesse carpinteiro ou pedreiro. Nos Estados Unidos ele havia dirigido um táxi durante vinte anos.

"Um ser humano", ele responde, "alguém capaz de ver e entender como vivíamos, o que era real, e não se deixar enganar por nenhuma mentira. Essa sempre foi a minha ambição, desde pequeno. No começo, eu era como todo mundo, um bom menino *cheder*. Mas, por decisão pessoal, me libertei de tudo isso por mim mesmo aos dezesseis anos. Papai podia até me matar, mas eu não queria de jeito nenhum ser um fanático. Acreditar no que não existe, não, isso não era para mim. Estas são justamente as pessoas que odeiam os judeus, esses fanáticos. E há judeus que também são fanáticos", ele diz a Claire, "e também vivem num mundo irreal. Mas eu não. Nem por um segundo, desde que fiz dezesseis anos e disse ao meu pai que me recusava a fazer de conta."

"Se ele escrevesse um livro", diz papai, "devia se chamar 'O homem que nunca se deixou dominar'."

"E você casou outra vez aqui?", pergunto.

"Casei. Ela também esteve num campo de concentração. No mês que vem faz três anos que ela morreu — como sua mãe, também de câncer. Não estava nem doente. Uma noite, depois do jantar, ela estava lavando os pratos. Fui ligar a TV e, de repente, ouvi um baque na cozinha. 'Me ajuda, estou passando mal.' Quando entro correndo na cozinha, ela está caída no chão.

246

'Não consegui segurar o pato', ela disse. Ela disse 'pato' em vez de 'prato'. Essa simples palavra me deixou apavorado. E seus olhos. Foi horrível. Soube ali mesmo, naquela hora, que ela estava condenada. Dois dias depois nos dizem que o câncer já tinha chegado ao cérebro. E aconteceu assim, de uma hora para a outra." Sem um traço de amargura — só para deixar tudo bem claro —, ele acrescenta: "E nem podia ser diferente, não é?".

"Que terrível", diz Claire.

Depois que papai foi de vela em vela apagando as chamas — soprando por via das dúvidas até as que já estavam apagadas —, passamos ao jardim para que Claire lhes mostre os outros planetas visíveis da Terra naquela noite. Dirigindo-se aos seus binóculos, que apontam para o céu, ela explica o que é a Via Láctea, responde a perguntas sobre as estrelas cadentes, indica (como faz para seus alunos da sexta série e fez para mim em nossa primeira noite lá) aquele pontinho luminoso junto ao rabo da Ursa Menor que os soldados gregos precisavam enxergar a fim de se qualificarem como guerreiros. Depois os acompanha de volta para dentro da casa: se acordarem antes de nós, quer que eles saibam onde estão o café e o suco. Fico no jardim com Dazzle. Não sei o que pensar. Não quero saber. Só quero subir sozinho até o topo da colina. Lembro-me de nossos passeios de gôndola em Veneza. "Tem certeza de que não morremos e fomos para o céu?" "Você vai ter que perguntar ao gondoleiro."

Através da janela da sala de estar, vejo os três de pé em torno da mesinha de centro. Claire virou o LP e o pôs de novo no toca-discos. Papai está segurando o álbum de Shakespeare. Parece estar lendo em voz alta as inscrições nos versos dos medalhões.

Alguns minutos depois, ela se junta a mim no banco castigado pelas intempéries que fica no alto do morro. Lado a lado, sem nos falarmos, olhamos de novo para as estrelas que conhecemos tão bem. Fazemos isso quase todas as noites. Tudo que fizemos durante este verão foi feito quase todas as noites, tardes e manhãs. Todos os dias chamando da cozinha para a varanda, do quarto para o banheiro: "Clarissa, vem ver o pôr do sol", "Clarissa, tem um beija-flor aqui", "Querida, qual é o nome daquela estrela?".

Pela primeira vez nesse dia ela se entrega ao cansaço. "Ai, ai", diz, encostando a cabeça em meu ombro. Sinto seus pulmões se encherem lentamente com o ar que ela aspira e lentamente se esvaziarem ao expirar.

Após inventar uma constelação juntando as estrelas mais brilhantes no céu, digo a ela: "É um conto simples do Tchékhov, não é?".

"O quê?"

"Isto. Hoje. O verão. Umas nove ou dez páginas, não mais, intitulado 'A vida que vivi'. Dois homens idosos vêm ao campo visitar um casal jovem, saudável e bonito, transbordante de alegria. O homem mais moço tem uns trinta e cinco anos, havendo por fim se recuperado dos erros cometidos quando tinha vinte. A mulher, que nem chegou aos trinta, sobreviveu a uma dolorosa infância e adolescência. Ambos têm as melhores razões para crer que superaram tudo. Ambos se sentem como se houvessem sido salvos, e em grande parte um pelo outro. Estão apaixonados. Mas, após o jantar à luz de velas, um dos velhos conta sua vida, fala sobre a ruína total de um mundo, sobre os golpes que não para de receber. E isso é tudo. O conto termina exatamente assim: a linda cabeça da mulher no ombro dele; sua mão afagando o cabelo dela; a coruja deles piando; suas constelações nos lugares de sempre — seus medalhões bem-arrumados; seus hóspedes nas camas feitas com todo cuidado; e seu chalé de verão, tão aconchegante e convidativo, um pouco abaixo de onde estão sentados lado a lado se perguntando o que devem temer. Sobem da casa os sons da música mais bela que existe. 'E ambos sabiam muito bem que apenas começava a parte mais difícil e complicada.' Esta é a última frase de 'A dama do cachorrinho'."

"Você está realmente com medo de alguma coisa?"

"Acho que estou dizendo que sim, não é?"

"Mas de quê?"

Seus olhos verdes — doces, inteligentes e confiantes — se fixaram agora em mim. Toda aquela atenção escrupulosa da professora está agora focalizada em mim — e no que vou responder. Passados alguns segundos, eu digo: "De fato não sei. Ontem, na farmácia, vi que eles tinham balões de oxigênio portáteis para vender. O garoto me mostrou como funcionam, e comprei um. Pus no armário do banheiro. Atrás das toalhas de praia. Caso aconteça alguma coisa com alguém hoje à noite".

"Ah, mas não vai acontecer nada. Por que iria acontecer?"

"Por nenhuma razão. Só que, quando ele começou a falar do passado daquele jeito com o casal de proprietários do hotel, fiquei preocupado por não haver trazido a coisa no carro."

"David, ele não vai morrer só por ficar agitado falando do passado. Ah, querido", ela diz, beijando minha mão e a apertando contra o rosto, "você está cansado, isso é tudo. Quando ele se excita, deixa você um trapo, mas ele não faz isso por mal. E obviamente ainda goza de uma saúde excelente. Está muito bem. Você é que está exausto. Hora de dormir, só isso."

Hora de dormir, só isso. Ah, minha amada inocente, você não é capaz de entender e eu não consigo te dizer. Não consigo dizer, pelo menos não nesta noite, mas dentro de um ano minha paixão estará morta. Já está morrendo, e temo que não haja nada que eu possa fazer para salvá-la. E nada que você possa fazer. Intimamente unidos — unido a você como a mais ninguém! E nem serei capaz de erguer a mão para tocá-la... a menos que me lembre antes que devo fazê-lo. A carne em que fui enxertado e que me ajudou a retomar algum controle sobre minha vida já não me inspirará nenhum desejo. Ah, é uma besteira! Uma idiotice! Uma injustiça! Ser roubado assim de você! E desta vida que eu amo e que mal cheguei a conhecer! E roubado por quem? Em última análise, o culpado sou sempre eu mesmo!

E assim me vejo de novo na sala de espera de Klinger; e, malgrado a presença ali de todas aquelas *Newsweeks* e *New Yorkers*, não sou um sofredor simpático e banal tirado de uma história plácida de Tchékhov sobre as dores humanas do cotidiano. Não, sou algo bem mais horrível, lembrando o amputado furioso e atormentado de Gogol, que corre para a redação do jornal a fim de pôr um anúncio alucinado solicitando o retorno do nariz que decidiu abandonar seu rosto. Sim, vítima de uma brincadeira ridícula, maldosa e inexplicável! Aqui estou de volta, senhor enganador terapêutico, pior ainda do que antes! Fiz tudo o que você mandou, cumpri todas as instruções, segui religiosamente os regimes mais saudáveis — cheguei mesmo a me obrigar a estudar as paixões na sala de aula, submeter ao escrutínio aqueles que escrutinizaram o assunto da forma mais impiedosa... e eis o resultado! Sei, sei e sei, imagino, imagino e imagino — e, quando acontece o pior, é como se eu nada soubesse! Você talvez também não saiba nada! E não me ofereça as consolações do princípio de realidade! Simplesmente o encontre para mim antes que seja tarde demais! A moça perfeita está esperando! Aquele sonho de moça e a mais vivível de todas as vidas! E nesse momento entrego ao doutor janota, gorducho e brilhante o anúncio intitulado "PROCURA-SE", descrevendo sua aparência quando visto pela última vez, seu real valor sentimental e a recompensa que darei a quem trouxer alguma informação que leve à sua recuperação: "Meu desejo pela srta. Claire Ovington — professora de uma escola particular de Manhattan, 1,78 metro, 63 quilos, loura, olhos verde-prateados, temperamento extremamente bondoso, afetivo e leal — desapareceu misteriosamente...".

E a resposta do doutor? Que, para começo de conversa, eu talvez nunca o tivesse tido? Ou que, obviamente, eu preciso aprender a viver sem o que desapareceu...

Durante toda a noite, pesadelos circulam pela minha cabeça como a água pelas guelras de um peixe. Quase de madrugada acordo para descobrir que a casa não foi reduzida a cinzas nem fui abandonado em minha cama como um doente incurável. Minha solícita Clarissa ainda está comigo! Levanto a camisola, desnudo seu corpo inconsciente e começo a pressionar e a puxar seus mamilos com os lábios até que nas aréolas pálidas, aveludadas e infantis se levantam grânulos diminutos e ela começa a gemer. Mas até mesmo enquanto chupo num frenesi desesperado o bocado mais apetitoso de sua carne, mesmo enquanto lanço toda minha felicidade acumulada e toda minha esperança contra o medo das transformações que virão, fico na expectativa de ouvir o som mais tétrico imaginável vindo do quarto onde o sr. Barbatnik e papai estão deitados, sós e sem sentidos, cada qual em sua cama feita com todo o cuidado.

ESTA OBRA FOI COMPOSTA POR OSMANE GARCIA FILHO EM ELÉCTRA E
IMPRESSA PELA GEOGRÁFICA EM OFSETE SOBRE PAPEL PÓLEN SOFT
DA SUZANO PAPEL E CELULOSE PARA A EDITORA SCHWARCZ
EM JANEIRO DE 2013